학교 갤러리 도슨트 자료

- 현대미술 작가 17명 -

유덕철 엮음

BOOKK

머리말

요즘 학교 갤러리가 확산 추세에 있다. 학생들 일상의 거의 반을 차지하는 학교 현장에 전시 공간을 조성하는 일은, 학교 구성원의 작품 감상 기회를 확대하여 예술적 감수성을 키우는 데 많은 도움을 줄 거라 생각한다.

학교 갤러리를 활용한 도슨트 체험 활동 미술수업을 진행하면서, 이런 수업사례가 미술 수업의 지평을 넓히는 한 꼭지가 되었으면 하는 욕심이 생겼다. 이 책은 이런 바람을 모아 엮은 것이다.

미술 분야는 순수미술, 디자인, 사진/영상/만화, 공예, 서예 등으로 구분한다. 이 책에서는 학교 갤러리에 전시된 순수미술 분야의 화가, 조각가, 행위예술가, 설치미술가와 사진가, 공예가, 서예가, 문인화가, 캘리그라퍼 등 17인의 작품 세계를 다루었다.

도슨트 체험 활동 수업 전에 작가의 작품 세계 원고를 받아 자료집을 만들고, 1차시는 자료집을 보면서 작가 작품 세계 탐구 활동, 2, 3차시는 학생 도슨트 활동으로 작품을 설명하는 수업으로 이루어졌다. 이 자료에서 소개하는 학생 도슨트 체험 활동 수업은 다양한 분야의 전시가 되었을 때 효과적이기에 단체전을 기획했다.

도슨트와 큐레이터를 혼동하는 경우가 있는데, 전시의 기획, 장소 선정, 전시장의 디스플레이, 전시 홍보 등 전반적으로 전시를 계획하고 진행하는 큐레이터와는 달리, 도슨트는 박물관이나 미술관을 찾은 관람객에게 전시된 작품을 설명하는 전문 안내인을 말한다.

학교 갤러리 운영에는 무엇보다 미술 교사의 열정과 함께 교육청이나 학교의 재정적인 지원이 필요하다. 인천광역시교육청은 '미술관 이음' 사업으로 학교 갤러리를 운영하는 학교에 시설 구축비와 4명(팀)의 작가를 선정하여 작가에게 개인별(팀별) 작품 대여비로 150만 원씩 지급하고 작품 운반 설치까지 모두 지원해서 담당 교사의 업무를 경감시켜 주고 있다. 경기도교육청은 학교 갤러리가 있는 학교에 연간 1,000만 원씩 지원하여 학교 자율로 운영하도록 하고 있다.

교육청 재원으로 학교 자체적으로 운영하고자 할 때, 지역 사회에서 활발하게 활동하는 작가 중, 학교 갤러리 운영에 대해 긍정적인 생각을 가진 분으로 섭외하기를 추천한다.

지역과 학교, 작가와 학생의 간격을 좁히고 미술을 학교생활 속 삶과 연결한 한 사례를 엮은 이 자료집은, 학교 갤러리에서 미술 분야별 작가의 작품 세계를 탐구하는 학생 도슨트 활동을 통한 미적 체험과, 미술 감상 비평 능력을 포함한 미술 직업 탐구 등 미술 관련 직업에 대한 이해도를 높이는 데 활용될 수 있다. 특히, 학교 갤러리의 편리한 접근성으로 깊이 있는 학습 경험과 개념학습, 그리고 미적 감수성 등을 신장하는 계기가 되리라 기대한다.

공동 집필진 일동

학교 갤러리 도슨트 자료

목 차

고찬규

고향: 전라북도 정읍

출생년도: 1963

작품세계

 현대인이면 누구나 어쩔 수 없는 이방인일 수밖에 없는 존재라 할 것입니다. 언제나 부초처럼 정착되지 못하는 삶, 그리고 그러한 삶을 힙 겹게 엮어 가는 현실이라는 어쩔 수 없는 상황 앞에서 우리는 언제나 낯선 이가 될 수밖에 없는 것입니다. 작품에 등장하는 창백하고 우울하며 불안에 찬 인물들은 이러한 의미에서 우리 자신의 상황을 여실히 나타내주고 있는 자화상으로 볼 수 있습니다. 점점 전문화, 세분화 되고 있는 거대한 현대사회의 구조 안에서 인간은 그 공동체를 존재하게 하는 하나의 부속물에 지나지 않는지도 모릅니다. 우리 모두는 쳇바퀴처럼 돌아가는 변함없는 삶에 힘들어하면서도, 그저 현실에 순응해 가는 평범한 삶을 살고 있습니다. 이렇게 소시민들에게 있어서 하루라는 것은 반복된 일상일 뿐이며 그렇게 이루어지게 되는 삶에서 비롯되는 다양한 희로애락의 감정을 갖게 되고 표현하게 되는 것입니다.

본인의 작품에 전체적으로 흐르는 정서 역시, 잿빛 현대도시에서 살아가는 소시민들의 이미지에 맞닿아 있다고 생각됩니다. 등장인물들은 저마다 다른 직업과 환경 속에 있지만, 소시민이라는 점에서는 크게 다르지 않습니다. 그들은 모두 웃음을 잃은 굳은 표정으로 세상을 응시할 뿐이며, 웃

거리에서 72 x 60 한지에 채색 2018

음이 가신 그 눈빛은 도시를 덮는 우울한 그림자처럼 현대인의 고뇌를 상징하고 있습니다. 무언가 하고 싶은 많은 얘기를 감추고 있는 듯 보이는 인물들의 시선은, 관람자를 향하고 있어 그림을 보는 이에게 '당신은 행복한가?' 라고 묻는 형식을 취하고 있는데, 이는 특정인을 향한 시선이라기보다는 차가운 경쟁사회의 심장을 관통하는 것입니다.

이렇듯 본인의 조형적 관심은 왜소하고 나약하게만 보이는 현대인의 일상적인 모습을 모티브로, 독자적인 인물화의 조형 세계를 모색하고자 하는 데 있습니다. 이를 위해서는 한국인의 정서와 미감에 거스르지 않고, 시류에 부화뇌동하지 않는 독자적인 조형성을 추구하는 것으로 생각합니다. '한국인의 정서 또는 미감'이란 한국인만의 경험과 체질, 그리고 한국인으로서의 자의식이 만들어 낸 정서적인 공감대라고 할 수 있을 것입니다.

　본인은 지금껏 인물을 소재로 길이라는 특정 주제에 천착하면서 그 주제를 심화시켜 왔습니다. 여기서의 모든 길은 삶을 상징하며, 특히 도시인으로서의 삶에 대한 자의식을 의미합니다. 그리고 그 자의식은 일종의 상실감으로서 나타나고 있지만, 그 와중에서도 꿈꾸기를 포기하지 않는 자기암시의 형태로 나타내려 하였습니다.

　이러한 定位없는 인물들의 모습들은 현대도시인의 일상사와 거기에 반응하는 감정 체계를 가진 절박한 상황에 있는 비극적 인물들로 볼 수 있습니다. 그러나 그들 모두 언제까지나 절망의 상황에만 머무는 것이 아니라, 상실이나 不在라는 것을 통하여 또 다른 희망을 발견하고자 할 것입니다. 배경에

Sunday PM.12 65.1 × 100
한지에 채색 2022

하루 60.6 x 72.7 한지에 채색 2020

등장하는 무지개나 인물이 지니고 있는 넥타이, 가방 등 희망의 단서를 제공하는 소재를 통해서, 어려움 속에서도 새로운 의욕과 희망을 이끌어 낼 수 있는 민초들의 강인함을 상징적으로 보여주고자 한 것입니다.

이렇듯 지금까지의 작품 제작 방향은 줄곧 우리 시대의 일그러진 자화상이라는 연속적인 동일선상 안에서 이루어져 왔으나, 앞으로는 최근 새롭게 시도하고 있는 재료에 대한 실험과 더불어 현대인의 심리적 정황을 보다 섬세하게 포착할 수 있는 심도깊은 화면을 위한 조형적인 탐구와 모색에 더욱 정진하려 합니다. 이후에 이어질 작업에서는 단순한 삶의 기록에만 머무르기보다는 좀 더 진솔한 경험을 토대로 하여, 이 시대의 설화를 창출해 낼 수 있도록 노력한다면, 삶의 진정성이 담겨져 있는 우리 시대의 초상을 발견할 수 있을 것입니다.

작품'풍등' 설명- 바람에 풍등을 날리며 오늘보다 더 나은 내일의 삶을 기원하고, 자신뿐만 아니라 가족과 주변인들에 대한 행복과 평안, 건강 등 소박한 희망을 염원하는 현대인의 소소한 욕망을 표현하였다.

풍등 90.9 X 61 한지에 채색 2024

경 력

고찬규

1990 중앙대학교 (미술학사)

1994 중앙대학교 대학원 (미술학석사)

개인전

19회/ BAMBOO 갤러리, LJA 갤러리, 갤러리 소항, 인사아트센터, 장은선 갤러리, 백송화랑, 갤러리 상, 한전아트센터, 관훈갤러리, 예술의 전당 외

초대전

2023 환대의 식탁 (갤러리 아트한)

2022 Two man's story (아트센터 쿠)

2021 Gallery Moon invitation Exibition (중국)

2020 회화와 서사(뮤지엄 산)

현재

국립 인천대학교 조형예술학부 교수

학교 갤러리 도슨트 자료

신은섭

1. 어린 시절

고향: 충남 서천군 판교면

출생년도: 1972

그 당시 시골은 다 그러하듯 흙냄새 진하게 묻어나는 한적한 시골에서 태어나 산과 들로 뛰어다니며 유년 시절을 보냈다. 봄부터 겨울에 이르기까지 사계절을 내 집인 양 들판에서 뒹굴며 놀 곤 하였고, 온갖 나무는 수도 없이 올라가고 뛰어내리고를 반복하여 자연스레 나무의 특징과 특성을 알게 되었으며, 작가라는 직업의 길로 접어들면서 소재는 늘 시골 풍경이 주가 되었다 그중 정월 대보름이면 관솔을 채취하여 쥐불놀이하던 소나무~! 그 소나무가 지금 나의 길이 되고 있다.

2. 작품세계

수묵으로 소나무와 빛을 작업한지도 어느새 꽤 많은 시간이

지나고 있다. 동양화의 여백은 나에게 있어 빛이 만들어 내는 빛의 색으로 새롭게 화선지 위에 자리를 잡아주며 작업을 이어가고 있다.

무엇보다 '올려보기'라는 구도에서 나오는 상승적이면서 도발적인 시선이 우선적으로 시각에 들어오지만 나는 애써 그 시선을 편안함과 휴식의 개념으로 느끼게 하고자 무수한 고민과 반복적 작업을 해왔다. 다행히도 소나무와 햇빛의 만남은 내가 추구하고자 하는 그 방향성을 표현하는 데 크나큰 도움이 되었고, 역설적으로 한국화의 여백은 물론 소나무의 디테일적인 껍질과 솔잎의 서양화적인 표현까지도 자유롭게 작업을 이어갈 수 있었다.

굳이 강인한 햇살을 표현하지 않고 부드러운 빛 표현으로 몸과 마음이 편안해지는 느낌! 내면의 정서를 끌어내어, 보는 이들에게 잠시 쉬어가는 여유를 갖도록 하는 길잡이 역할을 하고 싶은 마음은 작가로서 욕심일까~! 채색과 담묵을 연하게 첨가하여 신선함과 시원함을…. 그리고 중묵에서 농묵으로 이어지는 먹색의 신비감은 화면에서 비껴갈 수 없고 놓치기 싫은 묵직하면서 은은함, 마치 봄날 아침에 산골에서 넘어오는 새벽안개가 딱 그 느낌이리라 확신한다.

나에게 있어 자연과 그 자연의 일부인 소나무는 운명처럼 내게 스며들었고 어제도 오늘도 그리고 내일도 이어갈 것이다.

작업을 하다 보면 수없이 많은 고민이 있다. 대작이 아니어도 느낄 수 있는 흡입력! 공감력! 그러한 내용들을 화면에 보여주고자 하는 욕심이 있기 때문이다.

그동안 쉼 없이 앞만 보며 달려왔다. 미련할 정도로 철저하게 시간절약을 하며 작업에 집중해 왔다 "작업만이 살길이다"라는 혼자만의 철학을 내걸고~~^^. 과거 이름이 꽤 알려진 작가들도 다 그러했듯 다작으로 이뤄낸 결과물은 결코 배신하지 않는다는 것을 확신하기 때문이다.

소나무는 분명 한국을 대표하는 수목이다. 시작이 어찌되었든 나는 지금 소나무 작업을 계속 이어가고 있고 그로 인해 소나무 작가라는 타이틀이 꼬리표처럼 따라다닌다. 그리고 다음으로 "소나무와 빛" 누구도 시도해 보지 않은 수묵 작업에서의 빛 작업! 내게 있어서 평생토록 자부심을 갖고

학교 갤러리 도슨트 자료

pine tree-올려보기 2023 신은섭作

작업에 이어갈 것이다. 문제는 그 다음이다. 가장 한국적인 수묵 그리고 처음으로 시도한 수묵에서 빛 작업, 그 다음은~?

이래서 작업은 끝없이 이어가나보다. 가장 한국적이면서 나만의 또 다른 독창적인 작품을 완성해 나가는 것이 현 시점에서 나의 숙제이자 반드시 해야 할 숙명이다.

코로나 팬데믹으로 전 세계적으로 굳게 닫혀있던 많은 문화 예술의 소통의 문이 이제는 전부 개방되었고 더욱더 활발한 교류가 이어지고 있는 이때 나는 가장 한국적인 작품을

pine tree-올려보기 2023 신은섭作

보여주어야 한다는 사명과 욕심이 있다. 그로 인해 여러 가지 시도를 해 보았고 거기에 따른 격려와 질타를 받았다. 다약이 되어 쌓이고 쌓여서 후에 내게 큰 기쁨과 환희로 돌아올 것이다. 그것을 믿기에 오늘도 작업실에서의 고통은 아름다운 고민이 되고 만다.

학교 갤러리 도슨트 자료

3. 경력

신은섭(shin eun seop) 申 銀 燮

세종대학교 회화과 한국화전공 졸업

- 국내외 개인전: 33회, 서울, 인천, 경기도, 중국(청도) 등
- 부스 개인전: 7회
- 단체전: 400여 회

- 2017 일간스포츠 우수작가 선정
- 2015 제5회 한국국토해양환경 미술대전 환경부총재상
- 2014 제15회 계양 서화예술대전 최우수상

- 한국미술협회이사역임, 인천미술협회이사, 계양미술협회,
  인천미술대전 심사위원역임. 인천아트페어 운영위원.
  후소회원.

- 유명호텔, 리조트, 병원, 관공서 등 다수 작품소장.
- kbs, mbc, sbs, 공중파 방송 드라마와 영화 등에 다수 작
  품 협찬 및 소개.

- 2024 작품협찬 내용

 ="멱살한 번 잡힙시다" KBS 3. 18부터 방영

 =넷플릭스드라마 "하이라키", "선산" 제작 중

 =영화 "2시의 데이트" 상영 예정

- 작업실: 인천시 계양구

- Mobile: 010-4284-7332

학교 갤러리 도슨트 자료

한국화가

유덕철

1. 어린 시절

고향: 충남 공주시 유구읍 추계리

출생년도: 1963

오지 산골 소년은 산과 들에서 동무들과 놀이를 하면서 어린 시절을 보냈다. 여름이면 냇가에서 멱을 감았고 집에서 키우는 돼지와 토끼 먹이로 꼴을 베었다. 겨울철엔 나무로 난방하던 시절이라 산에서 지게에 한가득 땔감을 지고 내려왔던 추억이 떠오른다. 산과 들이 마당과 같은 놀이터였다. 그래서 그런지 지금도 산과 들을 다니는 것을 즐겨하고 있고 그림도 숲속에서 그리는 것이 행복하다.

2. 작품 세계

가. 숲속 화실

숲속 화실은 딱히 정해진 곳이 아닌, 산이나 들, 섬 등을 산책하다 발길이 머무는 곳이면 어디든 화실이 될 수 있다. 수년째 등산하고 숲속 화실에서 그림을 그리는 작업을 해오다 보니, 심신의 조화를 이뤄 더욱 건강해진 듯하다. 그림 또한 수묵으로 일필휘지 생명감을 표현하니 더욱 기운이 생동해지는 듯 하다. 숲속의 화실에서 함께 산책하고 그림 그리며 참살이의 시간을 보내는 사람들이 많아졌으면 좋겠다.

나. 숲속 화실로 참살이

어릴 적부터 그림을 좋아해서 날마다 그림일기를 썼다. 학창 시절 내내 습작을 게을리 하지 않아 예술적 역량을 키울 수 있었고, 국립 사범대학 미술교육과에 진학하였다. 졸업 후 미술교사로 재직하면서도 쉬지 않고 그림을 그린 세월이 어언 34년이다.

 교직 생활 틈틈이 주말이나 방학 기간에 산과 들을 찾아 그림을 그렸다. 특히 일과 개인의 삶 사이의 균형을 중요하게 생각하며 워라벨(work life balance)의 참살이를 실천하려고 애썼다. 학교에서는 학생 지도에 힘쓰고 퇴근 후에는 나만의 시간을 만들어 숲속에서 그림을 그리며, 이른바 건강관리와 예술 활동을 병행하는 육체와 정신의 조화로운 삶을 이루고자 한 것이다.

 화실(畫室)은 보통 실내에 있지만, 숲속 화실은 조망이 좋은 산야나 숲속 등, 야외에서 산책하다가 만난 새로운 개념으로서의

그림 그리기 공간
이다.

도봉산 숲속 화실 진심경(眞心景) 1
두방지에 수묵화/24 × 33cm

숲속 화실에서 사용한 재료와 기법은 전통 회화 수묵화로 표현했고, 때에 따라서는 수묵담채화로 표현하기도 했다.

수묵화 매력 중 하나인 먹물이 화선지에 스며들어 번지는 그 순간의 맛과 자연스러움을 극대화하고자 한 것이다. 수묵화의 농담과 흑백의 대비는, 대상에 생동감을 불어 넣으며 감상자의 시선을 그림 속으로 끌어들인다. 이 작업을 통해 우리 것을 소중히 여기고 전통 회화를 계승 발전하는 데 한 역할을 한다는 자부심이 생겼다.

그동안 틈틈이 전국의 명산을 다니며 그림 그리다 보니, 심신이 건강해졌고 우리나라의 아름다운 자연미를 느낄 수 있어 행복했다. 스케치 여행으로 각 지역 특유의 문화를 접할 수 있어 그 즐거움이 더했다.

학교 갤러리 도슨트 자료

다. 설악산 숲속 화실 진심경(眞心景)

설악산 울산바위 중간 조망터에 화구를 펴고 그림을 그렸다. 직각에 가까운 바위에 자라는 소나무의 모습이 신비하고 장엄함은 그 어떤 수식어로도 표현하기가 어렵다.

설악산 숲속 화실 진심경(眞心景) 2
(두방지에 수묵화/24 × 33cm)

'설악산 숲속 화실 진심경' 작품은 숲속의 화실에서 풍경을 직접 보며 느낀 심경을 그림으로 표현한 작품이다.

진심경은 실제 경치를 보면서 느낀 감성을 그림으로 표현하는 것을 말한다. 진경을 보고 심경을 표현했다는 의미이다. 사람은 자연의 아름다움을 보고 감동한다. 아름다운 순간을 간직하려고 사진을 찍고 그림도 그린다. 화가는 사실적인 그림을 그리는 작가도 있고 나처럼 느낌을 표현하는 작가도 있다. 그리고 자신이 느낌 감정을 추상적으로 표현하는 작가도 있다. 중요한 것은 현장에서 자연을 오감으로 느끼면서 그린다는 것이다. 그래서 숲속 화실을 진심경이라고도 한다.

설악산 숲속 화실 진심경(眞心景) 2
(두방지에 수묵화/53 × 45cm)

학교 갤러리 도슨트 자료

3. 경력

유덕철 Yu Duk Chul

국립 공주사범대학 (미술교육 학사)
국립 인천대 교육대학원(미술교육 석사)

개인전 10회

2024 연정갤러리(코라손 베이커리 카페)

2023 YCL갤러리(청학도서관)

2023 참살이 미술관

2019 오동나무갤러리(동인천고)

　　　 갤러리 뮤즈(인천신현고) *릴레이 전시

2018 예향갤러리(인천예일고)

2018 스퀘어원갤러리

2015 문화갤러리(인천경찰청)

2014 YCL갤러리(청학도서관)

2013 원인재작은갤러리

　　　 연정갤러리(옥련여고)

　　　 빛여울갤러리(인천여고) *릴레이 전시

2006 연정갤러리(옥련여고)

주요 단체전 180여 회 출품

 2024 올해의 인천미술 100인전

 2023 Retro Sixty

 2022 Gallery 벨라 개관전

 2021 KMJ갤러리 개관전

 2020 인천한국화 대제전, 2019 한국화민예품전

 2018 한길한국화전, 2017 중등교원미전

역임

 인천미술협회 이사, 공주대, 공주교육대 강사

집필

 고등학교 교과서 미술창작, 수석교사 수업 톡(Talk)

 행복해지는 교사의 7가지 수업, 행복한 교사의 4계절 일상

 숲속 화실 80

현재

 인천미술협회, 한길한국화회 회원, 제물포고등학교 수석교사

 Mobile: 010-8937-0114   e-mail: ejrcjf@ice.go.kr

학교 갤러리 도슨트 자료

라 선

1. 어린 시절

고향 : 경기도 부천군 소사읍

출생년도 : 1962

어린 시절부터 그림 그리는 것을 좋아해서 책. 노트. 벽면. 땅 등 가리지 않고 항상 그림 그리기가 빠지지 않았다.

어린 시절 자유롭게 마음껏 뛰어 놀던 산과 들 그리고 과수원은 항상 그리움의 대상이었다. 어린 시절에 대한 향수적 그리움과 일찍 유명을 달리하신 부모님에 대한 그리움, 평생 그림에 대한 모티브가 되어준 것은 어머니의 사랑이었다.

어려운 형편에도 중학교 2학년 때 일찍 미술학원을 보내주셔서 나에겐 인생의 중요하고 작가로의 정체성 정립과 정서적 토양이 되었음에 감사드린다.

2. 작품 세계

namoo EYE media - 작가 평론

서양화가 라선 (경기 부천 產) "그리움으로 만드는 노래 라선의 그림"라선 화백 어린 시절 그림이 좋아 모든 놀이에 그림 그리기가 빠지지 않은 라선 화백 그의 작품에서는 그리움이 짙게 묻어 나온다. 어린 시절에 대한 향수적 그리움을 일찍 유명을 달리하신 부모님에 대한 그리움과 그리고 평생을 붙들고 살아가는 그림에 대한 그리움 라선 화백의 그림에는 인상파적 이미지와 큐브적 조형이 적절하게 배합되어 모더니틱하면서 스테인드글라스 혹은 목판화적인 힘은 그만의 독특한 화면을 만들어 낸다. 또한 프레스코 화법의 적절한 단순화도 그의 작품에서 중요하다. 회화사를 공부하다 보면 꼭 나오게 되는 몬드리안의 콤포지션을 만나게 되는데 라선 화백의 그림에는 그리움으로 불러내는 인상파의 노래와 논리 및 이성으로 불러내는 모던함이 주마등처럼 흘러내린다. 오직 그림만이 자기 인생이었고 그 어떤 어려움 속에서도 붓을 놓지 않는 의지와 일관성, 고집은 어느 화가에 못지않다. 평생을 후학을 가르치며 넉넉지 못한 화가의 삶을 살아가는 그의 삶을 지켜보자면 아름답다. 그가 주장하는 고집스러운 작품이 아름답고 그가 뱉어내는 세상의 섭리가 가슴 뭉클하다. 전업 작가로서 세상의 어려움을 개의치 않고 붓과 함께 아름다운 인생을 만들어 가는 라선 화백의 작품을 보면서 행복의 기준을 함부로 갖다

설악-공룡능선/106.0x45.5cm/oil on canvas/2022

대는 몰상식한 우리 세태의 잣대가 부끄럽기만 하다.

작가 노트

자연은 내 작업의 주요한 테마로서 유년시절 농촌에서 성장하며 느낀 자연의 진실함 및 소중함을 통하여 작가로의 정체성 정립과 정서적 토양이 되었다. 어린 시절 습득한 동양화의 구륵법 응용과 공간적 여백의 미를 통한

대둔산
가을향기/90.9x72.7cm/oil on canvas/2022

작가적 시각을 통하여 객관적 사색을 추구한다. 서양화의 기법을 사용하면서도 동양적인 여백의 공간적 추상성과 절제되고 단순화된 디자인적 평면성을 지니고 있다. 그리고 목판화의 힘과 간결성 및 인상파적 색조 이미지와 큐브적 조형성이

적절히 배합되어 모더니틱하며 스테인드글라스 이미지를 느끼게 하는 화법 구성을 통하여 동양과 서양의 미를 접목했다. 우리 전통 오방색을 기조로 한 소박한 아름다움을 표현하고 우리 전통의 색채와 자연스러움을 찾아 현대적으로 재해석함으로써 새로운 기법의 "라선 현대 산수화" 이미지를 표현하고자 했다. 형식적인 면에서는 검은 직선의 선묘를 통하여 현대 사회의 냉정함, 외로움, 차거움, 권위적, 엄숙함 등을 표현하고자 했다. 언제나 변치 않고 그 자리에 서서 모진 풍파에도 굳세게 억겁의 세월을 이겨내는 바위산의 강인함과 우직함을 통하여 오늘을 살고 있는 현대인들에게 작은 이익에 수없이 흔들리는 신념과 지조를 "세한연후 지송백지후조야" 날씨가

영종하늘도시 스타타워II 건축물미술품 설치작품 앞에서
(200호x2점)

추워진 뒤에야 소나무와 잣나무가 늦게 시듦을 알 수 있다는
메시지로 전달하고자 하며 작품들 속에 나타나는 구름들은 나
자신의 또 다른 표현이기도 하다.

라선 현대산수 / 90.9x72.7cm / oil on canvas / 2023

학교 갤러리 도슨트 자료

3. 경력

라 선

국립 인천대학교 미술학과 서양화전공 졸업

개인전·부스전 10회, 단체전 350여 회

2022.- 갤러리밸라 개관 초대전 (갤러리밸라)

2022- 제2회 개인전 (갤러리라메르)

2022- 제25대 한국미협 임원초대전 (인사동 한국미술관)

2022- 제3회 계양구예술인연합회 정기회원전 (계양아트갤러리)

2023- 한국미술진흥원 제3회 개인전

2022- 굿모닝 인천 화보수록 . 작품소개

2023- (사)인천언론인클럽 인천저널 화보수록 . 작품소개

2023- EOS갤러리 개관 기념초대전 (EOS 갤러리)

2023- 인천코리아 아트페어 (김정숙 갤러리)

2023- 제4회 계양구예술인연합회 정기회원전 (계양아트갤러리)

2023- 아라천큐브 아트프리마켓 (큐브갤러리)

2023- 제11회 푸른쪽빛 회원전 (스페로갤러리)

2023- 100승여단 임원초대전 (백승여단 작은미술관)

2024- 예하로902 아트스페이스 개관기념 초대전 (예하로갤러리)

2024- 제5회 라선개인전 (정파갤러리,인천)

공로상 수상

2019우수강사 문화예술 공로상, 2020인천예총 공로상 수상

작품소장

영종하늘도시 스타타워II (중구 중산동) - 200M 2점

청라상업지구 하엘에스페이스 (서구 경서동) - 150M 2점

청라오피스텔 167-23 - 200M 2점

중구 중산동 1886-22 - 200P 2점 외 개인소장 다수

계양구 공공미술 프로젝트 - 임학공원 신비와 걷고 싶은 길

역임

인천미협 서양화분과위원장, 계양미협회장, 계양아트갤러리 초대관장, 인천국제미술교류회운영위원장, 계양서화미술대전 운영위원장, 인천미술섬기행전 운영위원장, 울산미술대전 심사위원, 인천미술대전 운영.심사위원, 인천시 건축물미술작품 심의위원 역임 외 다수

현재

(사)한국미협 서양화2분과 이사, 계양구예술문화단체총연합회 미술협회장 및 고문, 인천시 건축물미술작품검수단 위원, 한국미술진흥원 초대작가, 갤러리아트버디강남 제휴작가, 라선미술원장, 푸른쪽빛 고문. 계양여성회관. 남동근로자종합복지관. 경인교육대학교 인천평생교육원 출강

Mobile 010-7181-2004   nasunart @ naver.com

인천시 계양구 계양대로 202, 3층 (계산동) 라선미술원

이계원

1. 어린 시절

고향: 서울 성장함

출생년도: 1963

2. 작품 세계

작가노트(1)

Allotropism(同質異形)-The Heritage(遺産)

'나는 회화의 본질적 구성물인 '표면(surface)'을 회화 표현의 주제로 삼는다'.

선명하며 윤곽이 뚜렷한 색 표면은 반복하여 교차하는 방식으로 쌓여 겹의 단층이 조성되어 그 표면의 물질적 실체성(real surface)이 강화된다. 이것은 회화의 핵심적인 주제 개념이 '표면'임을 강조한다. 내가 '회화의 표면'을 작품의 주제 개념으로 삼는 것은 회화의 본질(essence)로부터 회화의 새로운 표현형식을 창안(invention)하기 위한 것이다. 정교한 붓의 운용으로 이루어 낸 선명한 색채에 의해 강조된 간결하고 기하학적인 사각형 색 표면의 물리적 흔적은 모두 회화의 본질이 '표면으로 남겨진 흔적'임을 강조하고 동시에 그것이 새로운 조형 언어임을 선언(declaration)하는 것이다.

[30F] Allotropism-'The Heritage' acrylic on canvas
72.7 x 90.9cm 2022.

'그림은 재현(representation)이다'라는 매우 오래된 회화의 명제를 나는 색다르게 해석한다. 축적된 미술의 역사 속에서

'재현'이 의미했던 것은 우리 눈에 보이는 피사체(a subject)를 화가가 자신만의 '특정한 방식'으로 그려내는 것이다. 그렇게 그려낸 방식이 부분적으로 그 작품의 '내용'을 구성하고, 또한 그림의 표현형식이 되며 그 형식은 다시 내용을 구성한다. 그리하여 회화 작품의 '형식'은 많은 부분 작품의 '내용'을 내포한다.

나는 '일상'을 피사체로 삼고 이것을 표현하는 하나의 '특정한 방식'으로써 색 면을 '축적한다. 겹겹이 엇대어 쌓인 색 면들은 그 어긋남에 의해 '겹의 물질적 리얼리티'가 강화되어 '축적된 일상'의 개념적 실재를 색다른 표현형식으로 재현한다.

[40P] Allotropism-The Heritage acrylic on canvas 72.7 x 100.0cm 2022.

작가노트(2)

■ Allotropism-The Heritage [시간의 색, 색의 소리]

나는 '축적되는 일상이 간직하고 있는 철학적 의미와 그 가치'를 표현한다.

나의 회화는 지속적이고 연속된 반복으로 이어지고 쌓이는 우리들의 일상에 내재 되어 있는 본질적 가치를 발견하고, 연속적인 시간이 불규칙한 흐름으로 축적되는 우리의 일상이 보존되어

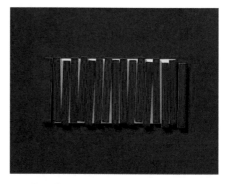

[50F] Allotropism(동질이형)
acrylic on canvas-board &
pinewood 91.0 x 116.7cm 2022.

야 할 만한 가치 있는 유산임을 표현한 것이다.

나의 작품의 중심 명제 **알로트로피즘(Allotropism, 同質異形)-The Heritage**는 '모두 다르게 반복되는 일상의 가치'를 형상화하여 보이지도 않고, 들리지도 않는 일상의 가치를 환기(evocation)하고 관조(meditation)한다.

3. 경력

이계원은 서울대학교 미술대학에서 서양화 전공을 졸업한 후, 동대학원에서 석사과정을 마치고, 뉴욕 LIU POST에서 Painting M.F.A. 과정을 마친 후, 귀국하여, 서울대학교에서 미술학 박사학위를 취득했다.

이계원은 회화의 본질적 구성물인 물감의 표층을 회화의 표현형식으로 전환함으로써 평면과 입체를 아우르는 독자적인 회화 알로트로피즘(Allotropism,同質異形)연작을 탄생시켜 회화의 표현 개념을 확장한다.

작품 발표 활동은 1991년 첫 국내 개인전을 시작으로 2024년 현재까지 총 30회의 초대 개인전을 국내, 외에서 개최했고, 450여 회의 국내, 외 단체전에 참여했다.

이계원은 창작미술협회 공모전에서 '대상'(1994)을 시작으로, 송은미술대상전 '대상'(2004), 한국국제조형학회 국제 초대작품전 '최우수 작품상'(2016), 베이징 국제 초대작품전 '최우수 작품상'(2020) 등을 수상했다.

현재) 국립 인천대학교 조형예술학부 서양화전공 교수

최원숙

1. 어린 시절

고향: 강원도 춘천시 봉의동

출생년도: 1962

강원도 춘천 봉의산 아래 도청 옆에서 태어나 봉의산을 오르내리며 자연과 함께 어린 시절을 보냈다.

내 작업에는 자연과 함께했던 그 시절이 화폭에 그대로 담겨있다고 할 수 있다. 작품 속에서 웃으며 헤엄치는 물고기는 친구들과 즐거웠던 추억의 나를 나타낸다.

초등학교 때는 만화책을 만들어 친구들에게 돌리기도 하였고 높은 우리 집에서 내려다보이는 풍경을 그리며 화판에 크레용만 있어도 세상을 다 가진 듯했다.

그림은 늘 나와 함께 했고 지금의 작가 활동의 원동력이 되었다.

2. 작품세계

작가 노트

학창 시절 주말이면 경춘선 열차에 몸을 싣고 고향 집으로 향했다. 달리는 기차에서 차창 밖 아름다운 산세와 뜨문뜨문 나타나는 가옥들을 바라보는 그 시간은 지루할 틈 없이 행복했다. 스쳐 날아가 버리는 찰나의 풍경도 소중히 바라보던 따스한 시절이었다.

과거의 내가 타고 있던 그 기차는 현재의 나를 향해 달려왔고 미래의 나에게 달리고 있다. 이처럼 모든 사람의 인생에는 그 인생을 관통하는 따스한 치유의 기억이 있다고 믿는다. 나에게는 그것이 고향이다.

작품에 등장하는 달항아리는 어머니 치마폭의 아늑함과 포근함을 연상시켜 치유의 의미를 지닌다. 또한 순백을 상징하는 달항아리는 깨끗하게 치유된 내 마음과도 같기 때문에 간직하고 싶은 옛 고향의 풍경을 그 안에 고이 담았다.

기차는 나의 고향으로의 여정과 그와 관계된 추억을 상징하고, 웃으며 자유롭게 떠다니는 물고기들은 나의 고향이 가져다주는 편안함과 행복을 상징한다.

세월이 느껴지는 고목에서 흠뻑 피어나 흩날리는 꽃잎은 꽃이 가진 화려한 아름다움과 산이 지닌 청명함을 고루 전한다.

산은 옛 고향의 풍경이자 어머니의 품속 같은 존재로 내 마음에 위안을 가져다준다.

안아주는 것만큼 따뜻한 치유는 없다. 달항아리가 고향 풍경을 안아주는 것처럼 고향에 대한 기억은 내 마음을 안아준다. 이에 치유된 마음은 또 다른 작품으로 드러나고 그 작품은 감상하는 사람들의 마음까지도 안아준다. 치유의 선순환을 추구하는 이유이다. 또한 나의 작업은 자연의 아름다움에 온전히 감싸인 듯한 기분을 선사한다. 따라서 도심 속에서 바쁘게 살아가는 현대인들에게 자연의 아름다움을 통한 치유의 의미를 전달하고자 한다.

꽃비 내리는 날 23-04
162x130cm 혼합재료 2023

학교 갤러리 도슨트 자료

고향 가는 길 23-19 73x73cm 혼합재료 2023

3. 경력

최원숙 Choi Won Sook

동덕여자대학교 미술대학 졸업

'꽃비 내리는 날 23-40 '작업중

개인전 31회

 갤러리PICI초대전(서울), 세종호텔갤러리초대전(서울),

 인천문화재단후원 예술표현활동지원 선정전(인천평생학습관),

 인사동희수갤러리 작가공모선정전(서울)

 서울아산병원갤러리 공모선정전(서울) 등

단체전 250여 회

아트페어 39회

 KIAF(코엑스,서울), 화랑미술제(코엑스,서울),

 BAMA부산국제화랑아트페어(벡스코,부산),

 마니프구상대제전(예술의전당,서울),

수상

 대한민국미술대전 특선(2004년,국립현대마술관),

학교 갤러리 도슨트 자료

경인미술대전 대상(2008년), 서울미술대상전 특선(2006년),

대한민국정수미술대전 특선(2006년) 외 다수

2011년 고등학교미술교과서 등재 (교학사, 미술과창작)

문화체육관광부주최 2020 공공미술프로젝트 '우리동네 미술'

선정

작품협찬

 SBS드라마 '따뜻한 말한마디', SBS미니시리즈 '미녀의 탄생'

역임

 인천미술협회 서양화분과 이사

 서울여성미술대전/환경미술대전 운영위원 및 심사위원

 인천유나이티드FC구장 트릭아트존 디자인 선정 자문위원

현재

 한국미술협회, 인천미술협회 이사, 경인미술대전 초대작가,

 인천창조미술협회, 인천여성작가연합회

 Mobile 010-2435-2071

이찬우

1. 어린 시절

고향: 충청북도 청원군 남일면

출생년도: 1950년대생

어린 시절은 복숭아 과수원을 하는 윤택한 집에 나이가 많으신 부모님 아래에서 태어난 소년은 주변에서 도련님 소리를 들으면서 버르장머리 없는 아이로 보냈다.

태어난 마을이 시골이라 집에서 초등학교가 멀어서 시내에 사는 나이 차이가 많은 시집간 누나 집인 청주에서 초등학교에 다니게 되었다. 그런데 초등학교 2학년 추석이 지난 다음다음 날에(운동회 날) 아버님이 폐암으로 돌아가시면서 상황은 아주 어려워졌다. 경제적인 어려움을 극복하려고 초중고 시절에 무심천의 모래를 날라 팔고, 연탄을 배달하는 일, 신문(한국일보)을 새벽에 돌리는 일 등을 해서 학용품을 사서 쓰며 지냈다. 미술 활동은 좋아서 하게 된 것도 있지만 중학교에 진학하면서 현실의 어려움을 피하고 싶은 생각으로 하게 되지 않았나 생각된다.

방과 후에 그림을 그릴 때만큼은 어떤 일 더 행복하고 즐거워서 진로가 미술 활동으로 정해지게 되었다. 미술교육과를 졸업하고 미술교육을 35년간 후진 양성하면서 조각가 활동을 병행했다. 지금은 퇴임하고 작가 활동을 하고 있다.

2. 작품 세계
1. 작가가 생각하는 대표 작품과 그 이유와 애착을 갖는 작품

<소중한 것1>
(220x280x120mm 석고, 1999)

예로부터 우리 조상들은 소중한 것을 보자기에 싸서 간직해 왔다. 보자기가 지닌 문화적 정체성과 그 정서가 가진 소중한 의미도 있지만 그 자체의 조형성도 뛰어나다.

오래전 작고하신 처의 할머니 유품을 장롱 안에서 본 것이 이 작업의 시작이었던 것 같다. 평소 고이 모아두신 지폐는 손수건(보자기)에 싸여져 있었고, 이것은 내 과거 기억 속에 묻혀있던 "어머니가 건네주신 지폐 보자기 묶음"을 떠오르게 했다.

아프신 몸을 이끌고 들판과 산을 다니시며 나물을 채취하여 시장에 팔아 두 달 치 화실 수강료 만 원을 손수건(보자기)에 싸 전해주시던 어머니. 그런 어머니의 정성 덕에 작업을 하는 내가 있게 되었기에 이 작품에 애정이 간다.

<공사장에서1>
(200x120x90mm bronze,
2016)

학생들을 가르치며 작업을 병행하던 나는 늘 작업실을 갖고 종일 작업에 몰두하는 시간을 가질 수 있는 환경을 동경해 왔다. 이후 2014년 명예퇴직을 하면서 현재 강화의 터에 작업실을 짓게 되었는데, 이곳은 젊은 시절부터 차근차근 준비하여 마련해 온 소중한 공간이다.

사회의 비정함과 냉혹함을 몰랐던 나에게 작업실을 짓는 과정은

학교 갤러리 도슨트 자료

일생일대의 큰 시련이었다. 그 시련에 대한 속상한 마음을 이 작품으로 표현함에는 부족하지만, 작업의 고민과 그때 느꼈던 마음을 함께 담아 보고자 한 작품이기에 애정이 간다.

2. 작업의 영감과 계기, 에피소드에 관하여

1982년 결혼을 하고 작업과 교직을 병행하면서도 늘 작업만 하는 생활을 동경하던 차에 1900년대 초 인천직할시에서 상징 조형물 공모가 있었다. 당시에는 새로운 기법인 와이어 커팅 기법을 이용해 응모하였다. 결과는 당선작 없는 1위를 하였다. 심혈을 기울여 제작한 탓인지 실망이 컸던 것이 사실이다. 그렇게 앞으로의 희망을 가지는데 만족해야 했고, 이 경험이 계기가 되어 조형물 공모에는 여건이 되면 응모하였다.

그러던 차에 2019년 구월동 농산물 시장 건물을 도림동으로 신축이전하면서 그곳에 맞는 조형물 공모가 있었다. 당시 명예퇴직 후 작업에만 전념했던 나는 어느 때보다 고심해서 모든 농산물은 씨앗에서 시작됨을 강조하여 발아하는 모습에 착안하였다. 스스로 나름의 만족스러운 작품을 구상하고 제출하였으나 이 공모에서는 차점자에 머물 수밖에 없었다. 결과는 아쉬웠지만 이 작품의 발상을 이후 작업에 반영하게 되었고 모든 생물이나 무생물에서 살아나고 있음을 표현하는 콘셉트로 현재의 발아 작품 시리즈를 제작하게 된다.

<대지로부터-23발아> (300x300x350mm bronze+석재)

『자연(自然)이 만들어 낸 형상(形象)의 일부인 돌과 씨앗이 모
체(母體)로부터 독립하여 돌에 터를 잡아 안착(安着)하여 싹을
틔우며 새로운 삶을 시작하는 발아(發芽)의 모습. 成長하고 자
라나는 많은 만물이 세상풍파(世上風波) 다 맞으면서 모진 세
월(歲月)을 견뎌내고 있는 존재(存在)의 돌과 같이 흔들림이
없이 발아(發芽) 성장(成長)하길 바란다. 생물(生物)은 물론 무

학교 갤러리 도슨트 자료

생물(無生物)에도 존재(存在)로서의 살아있다는 생명(生命)이란 단어(單語)를 적용해 본다. '生命 - Life' 경이롭게도 힘을 느끼게 하는 낱말이 좋다. 」

발°ㅏ23-3bronze+오석
300x300x260mm 2023

생명(lief)
bronze 415x240x350mm 2023

3. 어떤 예술가로 남을 것인가?

모든 이의 삶은 귀한 것으로 생각한다. 그러나 사람의 사는 방식에 따라 그가 귀하게 살았는가 혹은 천하게 살았는가는 생을 마감한 후 다음 세대에서 판단을 받는다고 본다. 나는 내 작업의 결과물뿐만 아니라 살았던 모든 자취에 예술성이 있던 사람이라고 기억되기를 바란다.

4. 앞으로의 작업 방향과 계획

입체를 하는 작가들이 작업을 시작하면서 꾸준히 관심을 가지는 것 중 하나는 인체다. 인체는 그 자체로 아름다운 대상이기도 하지만 자신의 모델링을 키우는 소재로 탓할 것 없는 대상이기도 하여 인체를 주로 다뤄왔었다.

근대 일본에서 공부하고 온 권진규 작가를 통해 대학에서의 김수현, 김영원 선생님과 대학원의 전뢰진 선생님의 영향 아래 작업을 하다 보니 모델링에 충실하다는 장점을 지니게 되었다. 한편으로는 교직과 작업을 병행하는 어려운 환경에 자리하고 있다가 보니 새로운 방향이나 도전적인 시도에 인색하게 된 단점도 가지고 있어 다소 늦은 감이 있었다.

늘 새로운 시도와 변화를 갈구하게 된 것은 2005년 3회 개인전에 선보인 풍경 조각을 처음 제작하면서였고, 이후 동양적인 분위기를 표현하는 방향을 추구하게 되었다.

앞으로 제작 방향은 동양적인 분위기를 느낄 수 있는 자연의 풍경을 바탕으로 인간 존재와 생물의 발아, 그리고 꽃을 피우고 열매를 맺은 뒤 소멸하는 자연의 순환 과정에서 얻을 수 있는 아름다운 조형성을 탐구하고자 한다.

3. 경력

이찬우(李瓚雨, LEE CHAN-WOO)

1979 국립충북대학교 미술과(조소 전공) 졸업

1986 홍익대학교 미술교육 대학원 졸업

개인전 조각전 5회

1997, 1999, 2005, 2013, 2018(아트페어)

역임

2020 대한민국 미술대전 조각 심사위원

인천미술대전 운영위원 및 조각 심사위원

인천예술고등학교 조소 전공 교사 13년

인하공업전문대학교 산업미술과 강사 2년(2학기)

충북대학교 미술과 강사1년

인천조각가협회 회장 5년

인천연수미술협회 회장 2년

2019 인천+워싱턴+하와이미술교류전 운영위원장

한국미술협회조각분과이사

인천미술협회조각분과위원장

현재

한국미술협회, 인천미술협회, 연수미술협회원

한국구상조각회, 한국조각가협회,인천조각가협회원

사)인천미술초대작가회 조각분과이사

수상내역

1978 충북도전 조각부문입상- 충북미술협회

1991 인천시상징조형물공모 우수상(1등상)- 인천시청

1995 전국교직원미술전람회 조소부문 우수상

2014 옥조근정 훈장 (미술교육)- 대한민국

2021 계양구공공미술선정 기획 총괄

학교 갤러리 도슨트 자료

李복행

1. 어린 시절

고향 : 충청북도 청원군 강외면 오송리

출생년도 : 1962

농사를 짓는 아버지와 한복(바느질) 짓는 솜씨가 남다르신 어머니로부터 5형제 중 막내로 태어난 나는 어릴 적 개구쟁이 아들이었습니다. 어린 시절 가난한 농가의 시골 생활은 허드렛일의 연속이었음에도 그 와중에 혼자 있는 시간에는 만화책에 빠져 시간가는 줄도 모를 정도였는데 그러면서 좋아하는 만화주인공을 베껴 그리는 습관이 생기기 시작했지요. 처음 만화 그림을 보고 베끼는 걸 통해서 눈썰미가 좋다는 사실을 알게 되었지만 내 그림체가 만화적 상상력을 구현하는 재능이 아니라는 걸 알아차리면서부터는 당연한 수순처럼 순수미술 쪽으로의 방향 전환이 빠르게 진행되기 시작합니다.

2. 작품세계

가. 초·중·고등학생 시절

초등학교 입학 전 그림을 그리며 느낀 신기함은 연필로 선을 긋고 최소한의 범위에서 흑연으로 칠을 하면 사람이거나 동물 등 알아볼 수 있는 형상이 나타난다는 거였습니다.

중학생 때 생각나는 에피소드로는 첫 미술 시간에 아그리파 부조 두상을 그리는 소묘 시간이었는데 칠판 중앙 위쪽에 배치된 석고상을 그리면서 눈동자도 없고 전체가 흰색으로만 보이는 걸 좀 이상하고 어색하게 여겨 눈을 실제처럼 그려야겠다고 생각하고 눈동자를 까맣게 칠하면서 반짝이는 눈빛까지 만들어 그렸더니 "석고상에는 눈동자가 없는데 왜 눈동자를 그린 거냐? 현재 눈에 보이는 대로 석고상을 그려봐라."라고 하시었던 미술 선생님 말씀이 아직도 생생하게 기억납니다. 석고상을 사람처럼 그리고 싶었던 거죠.

나. 대학생 시절

처음으로 그림의 내용과 형식이 조형적 문법을 통해 어떻게 구현될 수 있을까하는 문제의식과 돌파구를 본격적으로 찾는 시기였습니다. 스스로 나에게 시시때때로 질문을 던지기 시작했어요. "넌 왜 그림을 그리려는 거냐?" 그리고 "그림에서 뭘 보여 주려는 거지?" 그렇다면 "어떻게 그걸 실현할 건가?" 이를테면 내가 그림을 그리는 이유와 내용과 방법의 기본에 대하여 최초로 진지하게 근원적인 질문이 발동한 것이지요.

다. 대학 졸업 후 본격적인 창작의 시기

그림을 그리는 일은 내가 세상의 온갖 것들과 교류하고 소통하면서 결국 나를 관찰하는 행위라고 생각합니다.

내가 그리는 사람들 얼굴에는 내가 있습니다. 삶의 일상에서 쏟아져 나온 쓰레기로 분류되는 수많은 잡동사니를 모아 캔버스 위에 나열하여 도색한 이미지들 속에도 나와 너와 우리들 존재의 실상과 현재의 삶이 고스란히 녹아 있습니다. 나를 설명하는 또 다른 존재의 몫을 나와 분리된 나와 같은 너라고 한다면 너는 나이기도 하면서 더불어 우리이기도 한 것이지요. 그런 입장에서 나와 너와 우리는 분리된 존재가 아니라 다양한 경로의 교류와 순환의 질서 속에서 하나로 이어진 공생관계로 살고 있는 것이라는 걸 시각적으로 어필해보고 싶었습니다.

학교 갤러리 도슨트 자료

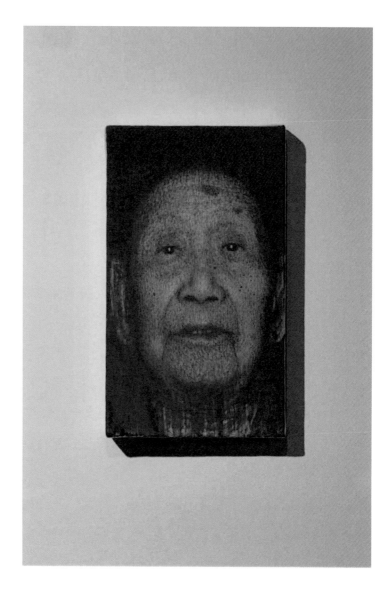

李福行_[이선옥]_16×27.5cm_acrylic on canvas_2019

李복행_[SILVER-똥이거나 꽃이거나]_45.5×53cm_mixed media_2022

학교 갤러리 도슨트 자료

작가 노트

J gallery 2024 '이음'展 출품작 [기념비적 도마]

세상의 모든 사물에는 개별자가 존재하는 방식자체만으로도 다른 것들과 차별화된 자신만의 독립적 태도와 어떤 아우라를 지니고 있는 게 간혹 우연처럼 포착될 때가 있습니다. 대부분 개별적인 방식으로 어필할 때가 많지만 또 상당부분은 여러 종류의 사물과 복잡하게 얽혀있는 요인들이 혼재되어 예측의 범위를 벗어난 뜻밖의 혼돈과 파격처럼 어떤 때는 잔잔하게, 어떤 때는 소박하게, 또 어떤 때는 전혀 의외의 스타일로, 마치 정해진 규칙이 있기라도 한 듯 여러 가지 채널들로 이합집산하며 새로운 질서와 리듬을 만들어 내곤 합니다. 그 속에는 '나'라는 주체로부터 내 정서가 용납하며 상호작용하여 나를 설명하면서 세상을 읽는 단서처럼 작동하기도 합니다.

[기념비적 도마]는 연안부두 어시장 주변의 폐기물을 찾아서 돌아다니다 그렇게 내 눈에 들어온 물건입니다. 폐기물 더미 구석에 팽개쳐진 도마를 본 순간 수십 년간 도마로 살아 온 종합어시장에서의 삶이 한눈에 들어와 나를 끌어당기더군요.

李복행_[기념비적 도마]_39.5×67×11cm_실물오브제(목재)_2023

학교 갤러리 도슨트 자료

3. 경력

李복행 LEE BOKHAENG

충북대학교 사범대학 미술교육과 졸업

개인전

2023   如是我視(인천아트플랫폼 E1/인천)

2022   ULTRAMARINE & SILVER(선광미술관-2관/인천)

2015   ULTRAMARINE(선광미술관/인천)

2011   meditation-BEING AND TIME(스페이스 빔/인천)

2009   meditation-GOGUMA(구올담갤러리/인천)

1998   meditation(갤러리도올/서울)

1996   meditation(나무화랑/서울)

1992   그림마당 민(서울)·무심갤러리(청주)·가가갤러리(인천)

작품소장

2010   인천문화재단 미술은행(인천문화재단/인천)

e-mail   haeng001@gmail.com

강유경

1. 어린 시절

고향: 경기 부천시 원미구 송내동

출생년도: 1967

어려서부터 막연한 꿈이 화가 지망생이었다. 초등 시절에는 사실 화가의 의미도 정확히 알지 못했지만 미술 시간에 그린 작품이 학급 게시판에 게시되거나, 혼자 있을 때 스케치와 정밀묘사도 해보고 흙 놀이를 하기도 하고 미술대회에 나가서 입상을 하면서 점점 좋아하게 되었다. 그러나 어디까지나 심심풀이였고 구체적인 계획이나 안목이 있었던 것이 아니였고 교사이셨던 부친께서 장래 진로를 교육대학에 입학하도록 적극 권유하셨기에 교직에 몸담게 되었다.

2. 작품 세계

가. 교직 초창기

비정형(非定形)을 위한 변주곡(變奏曲) 2020-2

교육대학을 졸업하고 나서 학교에 발령을 받고 교직생활을 시작하면서 동시에 내가 하고 싶은 일이 조형활동이나 미술에 관련된 것임을 깨닫고 퇴근 후에 그림, 서예 등을 간간히 배우러 다니기도 하고 혼자서 독학으로 취미삼아 조금씩 그려보는 생활을 이어나가게 되었다. 담임교사를 할 때에도 학생들 지도 시 미술수업을 더욱 열정적으로 지도하고 미술대회가 있으면 학생들 지도 인솔도 솔선수범하게 되었다.

나. 숨은 잠재력

막연히 좋아하던 미술활동을 꾸준히 관심가지고 하다 보니 대학
원을 초등미술교육과로 전공하고 초등미술교과연구회 회장을 하
면서 서양미술사 이론도 탐독하게 되면서 현대도예작가 활동도
병행하여 지금은 대한민국미술대전 초대작가가 되어 초등미술교
과를 지원하는 수석교사로 재직 중이다.

다. 제9회 개인전 주요 작품

○ 작품명: 『'1812년 서곡'을 위한 변주』

○ 크기

    1번 9.2×15.3×25.3cm,   2번 9.5 ×13.2×31.5cm

    3번 8.8×12.8×39.10cm,   4번 10.3×15.5×25.1cm

○ 2021년 제작

학교 갤러리 도슨트 자료

○ 작품명에 담긴 의미 해설

　- 나는 작업 중 늘 클래식 음악을 들으면서 작품 제작을 하기에 작품명을 클래식 음악과 연관 짓기를 좋아한다. 위의 사진에서 보듯이 작품이 대포 알 이미지를 닮아서 대포 알을 연상시킨다고 하여 『'1812년 서곡'을 위한 변주』로 지었다. '1812년 서곡' 연주를 들어보면 곡의 끝부분 절정에 이르러 대포소리가 웅장하게 연주된다.

특히 안탈 도라티가 지휘한 차이코프스키 '대서곡 1812년'이 유명한데 진짜 대포를 등장시켜 화제를 불러일으켰다.

●차이코프스키 '1812년 서곡'

- https://brunch.co.kr/@nogada/14

승리의 대포소리, 차이코프스키 1812년 서곡

제 3차 세계대전 직후 2040년 영국. 민주주의와 자유를 잃은 지독한 파시즘 경찰국가인 미래의 영국을 배경으로 그에 대항하는 인간의 힘을 박진감 있게 보여주는 영화 브이포벤테타. 가면을 쓴 주인공 'V'가 마지막 장면에서 국회의사당을 날려버리는 대포소리 배경음악이 바로 '1812년 서곡'이다. 혁명에 나선 V가면의 주인공들은 독재의 상징 국회의사당에서 팡, 팡, 팡 폭탄이 터질 때 한명씩 가면을 벗고 진정한 사회의 주인이 된다.

프랑스와 러시아의 국가

그리스 병사가 페르시아에게 승리한 것을 알리기 위해 뛴 42.195km에서 유래한 마라톤. 마라톤이 페르시아의 후예인 이란에서 열렸던 테헤란 아시안게임에서 제외되었듯이 1812년 서곡은 프랑스에서 연주되지 않는다. 1812년 서곡은 프랑스 황제였던 나폴레옹에 대한 러시아의 승리를 기념하는 곡이기 때문이다. 그만큼 이 곡은 19세기 러시아 사람들의 애국심을 강하게 호소하는 걸작이다.

Tchaikovsky* - 1812 Overture ○ Serenade For Strings (Vinyl, LP, Album) at Discogs

1812년 서곡은 대포소리와 종소리가 나오는 웅대한 곡이다. 15분에 달하는 이곡은 크게 4부분으로 나눌 수 있다. 1부는 침략을 당한 어둡고 침울한 분위기 속에 현악기들이 숨죽인 채 연주한다. 이 선율은 전쟁의 불길한 그림자를 묘사하고 있다. 2부는 나폴레옹이 쳐들어오고 마침내 터진 전쟁을 묘사하고 있다. 4가지 러시아 민요 선율이 러시아의 고통과 슬픔을 연주한다.

3부는 프랑스의 국가 '마르세유(Marseille)의 노래'가 나폴레옹 군대를 상징하듯이 나타난다. 마지막 4부에서는 프랑스 국가 선율과 러시아 선율이 엉키면서 치열한 싸움을 묘사한다. 격렬한 선율이 얽히면서 어느덧 구 재정러시아의 국가인 '신이여 차르를 보호하소서'가 강렬해진다. 곡은 절정으로 치달

학교 갤러리 도슨트 자료

으며 황궁인 크렘린(Kremlin)을 상징하는 종소리와 16발의 대포소리로 대미를 장식한다. 나폴레옹 군을 물리치고 모스크바를 탈환한 러시아 민중의 기쁨이 들리는 듯하다.

평화로운 시골, 농민의 반격

1812년 서곡의 주인공은 러시아 민중과 나폴레옹이다. 당시 나폴레옹은 유럽에서 시민혁명의 전파자이자 전쟁영웅이었다. 루이16세가 단두대의 이슬로 사라졌지만 권력을 잡은 나폴레옹은 공화정을 배신하고 황제에 등극한다. 나폴레옹은 유럽정벌의 야욕에 정복전쟁을 계속하고 대륙봉쇄령으로 영국을 고립시킨다.

러시아는 프랑스의 일방적인 요구에 거부했고 65만의 나폴레옹의 대군은 모스크바를 침공한다. 1812년 9월, 모스크바에서 120km 떨어진 보로디노 전투에서 승리한 나폴레옹은 모스크바로 진격했다. 모스크바의 겨울은 혹독했다. 러시아는 모스크바를 불태우고 보급로를 막아 프랑스군은 식량과 탄환을 차단당했다.

러시아 민중들은 강철같이 단결하여 러시아군을 지원했다. 민중들이 자신의 집과 터전을 지키기 위해, 조국을 위해 반격에

나선 것이다. 어린아이부터 노인까지. 그들의 간절한 기도와
지원은 추위를 이겨냈다. 나폴레옹 군이 장악한 모스크바는
살아있는 러시아 민중들에게 포위된 바다였다. 6개월간 추위
와 굶주림을 이겨낸 그들은 마침내 승리했다.

죽음 같은 고통을 견딘 러시아 민중들, 그 고통 뒤에 찾아오
는 긍지와 자부심의 환희가 담긴 곡이 바로 1812년 서곡이다.
러시아는 70년 뒤인 1882년 이 전쟁의 승리를 기념하기 위해
전쟁 중에 불탄 모스크바 중앙 대사원이 재건한다. 차이코프
스키는 이 승리에 바치는 거대한 서곡을 작곡한다.

애국심이 담긴 곡

차이코프스키는 러시아를 넘어 전 세계적인 작곡가다. 그는
초기 러시아 민족음악보다 서양 낭만주의 음악을 주되게 다뤘
다고 비판받았다. 그렇지만 그는 뛰어난 실력으로 그를 비판
하던 이들보다 더욱 더 훌륭하게 러시아 민족성을 풍부하게
잘 담아냈다.

차이코프스키는 친구이자 스승이었던 니콜라이 루빈스타인이
권고로 이곡을 6주 만에 작곡한다. 초연은 1882년 8월 모스
크바 교회의 광장에서 열렸다. 차이코프스키는 당시 대성당
광장에서 관악기를 추가 편성한 오케스트라, 여러 교회의 종
들, 포탄이 장전된 16문 대포를 준비했다.

폭죽과 불꽃을 쏘는 그야말로 웅장하고 거대한 연주였다. 하

학교 갤러리 도슨트 자료

지만 의견이 분분해 당시 대포는 큰 북으로 대체했다고 한다. 후대에 차이코프스키 탄생 150주년을 기념한 레닌그라드 필하모닉 오케스트라가 대성당에서 연주할 때는 실제로 대포와 종이 사용됐다.

1812년 서곡 CD에는 볼륨을 최고로 올렸다가 스피커가 터질 수 있다는 경고문이 쓰여 있다. 그런 일이 종종 있었기 때문이다. 많은 연주자들이 대포소리와 종소리 효과를 내기 위해 화재를 일으킬 정도로 에피소드가 많은 곡이기도 하다.

러시아 민중의 애국심과 저항정신을 잘 보여주는 1812년 서곡이 보여주듯이 예술의 본질적 가치는 시대상의 반영이 아닐까.

3. 경력

강유경 You You Chul

국립 청주교육대학교 초등미술교육과
국립경인교육대학교대학원 졸업

개인전 9회

2022 아지트갤러리 초대전(인사동 마루아트센타 2층)

2019 '미술과 인생' 밴드 기획 '2019. 미인 Art Festa' 부스전
　　　(인사동 한국미술관)

2018 인천환경미술협회 주최 인천 현대미술의 흐름전 선정
　　　작가부스전(인천종합문화예술회관)

2017 연정갤러리 초대전(옥련여고)

2017 인천지방경찰청 초대전(갤러리 미추홀)

2017 한가람갤러리 초대전

2015 연정갤러리 초대전(옥련여고)

2014 인천미술협회 부스전(인천종합문화예술회관)

2014 인천환경미술협회 부스전(인천종합문화예술회관)

　　　학교 갤러리 도슨트 자료

주요 단체전 118여 회

2024 [Art Without Borders] 주제 'MUSE'전 참여
　　　(강남구 갤러리A)

2023 인천환경미술협회 주최 2023인천환경미술제 '2023모두의
　　　시간전'(한중문화원)

2022 국제예술교류협회 정기전(인사아트센타 제2전시장)

2021 인천광역시미술대전 초대작가전(인천종합문화예술회관)

역임

인천환경미술협회 이사

집필

2015 개정교육과정 미술과 교수학습자료집 발간(교육부, 18),
기초학력보장지원사업 매뉴얼 자료집 발간(시교육청, 2020),
교사가 디자인하는 교사 교육 자료개발(시교육청, 2021), 함께
준비하는 2022개정교육과정 총론 및 각론 이해(시교육청, 2023)

현재

대한민국미술대전 초대작가, 인천미술대전 초대작가, 경인미
술대전 초대작가, 한국미술협회, 인천미술협회, 인천환경미술
협회, 인천서구예술인협회, 부천도예가협회 회원, 인천해든초
등학교 수석교사

이진숙

고향: 강원도 태백시 장성군

출생년도: 1960

1. 어린 시절

 유년 시절 이름 모를 야생화가 피어 있는 야산에서 놀기 좋아하는 아이 중 한 명이었습니다.

내리쬐는 여름의 태양 아래에서 흐르는 시냇물, 아이들의 신발 속에서 헤엄치는 작은 송사리, 이마에 맺힌 땀을 식혀주는 산바람이 좋았습니다.

2. 작품 세계

 고등학교에선 미술부 활동을 했고 많은 예술의 분야 속 도예를 택하게 된 계기는 우연히 보게 된 도자기 다큐멘터리였습니다. 당시 프로그램의 이름은 기억이 없지만 흙을 다루는 예술, 어린 시절부터 익숙하고 좋아했던 자연과 밀접한 예술이란 점에서 도예에 대한 갈망이 피었습니다.

나무, 야생화, 달팽이, 양,
자연의 모든 풍경은 나의
작품 소재가 되었습니다.
특히 화병이란 자기는 자
연의 꽃을 담아내는 공간
이라는 점에서 제게 매력
적인 형태였습니다. 입체적
인 도자기가 자연과 함께
일상에 더욱 친근하게 다
가오길 바라는 마음에서,
꽃이 포함된 화병, 그 자체
를 판형으로 만드는 계기
가 되었습니다.

어느날 풍경-동백

재료 : 잡토, 트임(터트림), 안료,
화장토, 고화도 소성(산화), 레진,
아크릴

사이즈 : 38*45*3(cm)

나의 일상에 놓여있는 꽃, 그대로 관조할 수 있는 아름다운
풍경의 한 조각, 자연을 친근한 것으로 표현하는 과정은 제가
꿈꾸는 작품세계 속 하나의 방향입니다.
흙의 물성을 빌어 자연과 풍경을 표현하고자 했던 지난 시간은 일상의 모습을 담아내는 현재로 쭉 이어져 오고 있습니다.

표현의 기법으론 트임(터트림) 기법과 양각 기법, 물레성형, 속파기 기법, 색화장토를 사용하며 소성 기법(구워내는)으로는 라쿠소성($1,100°C$), 고화도소성($1,250°C$) 등으로 완성합니다. 그중에서 트임(터트림) 기법은 흙의 물성을 자연스럽게 표현하는 방법의 하나로 일정한 두께의 흙판에 충격을 가합니다. 얇게 펼쳐진 점토의 표면을 마른 땅이 갈라지듯 터트리는 기법으로, 점토 표면의 수분을 뺏어 점토를 늘리므로 우연에 의해 나타나는 무늬가 매력적입니다.

최근 작품은 누워있는 사람의 일상 모습을 담고 있습니다.

핸드폰을 보며 쉬고 있는 사람의 모습은 참으로 모순적입니다. 몸은 쉬고 있지만 머리는 눈 앞에 펼쳐진 정보를 보고 즐기고 열심히 일하고 있지요.
이 작품의 계기는 제 딸이 쉬고 있는 모습에서 영감을 받았습니다. 밤새워 일을 하고 자겠다고 말한 뒤, 침대에 늘어진 채 핸드폰으로 이것저것 보고 있던 피곤한 모습에서 느낀 감정을 작업으로 표현했습니다.

학교 갤러리 도슨트 자료

어느 날 풍경-어설픈 휴식 2
재료 : 백토, 색화장토, 투명유, 고화도 산화소성,
사이즈 : 22*10*10(cm), 16*8*8(cm), 16*8*8(cm)

일상 속 평온함을 즐기는 것이 아니라 핸드폰의 액정 속 작은
공간에서 모호하게 즐기고 있는 어설픈 휴식.
나의 딸에게 그리고 모두에게 진정한 휴식의 즐거움이 함께하
길 바라며 만든 작품입니다.

일상 속 자연은 나의 내면에 담기고 작품 속에 자연스럽게 머
뭅니다. 내 안에 겹겹이 쌓여가는 이미지.
마음을 비워내듯 흙으로 풍경은 만들어집니다.

어느 날 풍경-어설픈 휴식 1

재료 : 백토, 색화장토, 투명유, 고화도 산화소성, 나뭇가지

사이즈 : 33*10*19(cm)

학교 갤러리 도슨트 자료

3. 경력

이진숙 lee jin sook
　단국대학교 응용미술학과 졸업
　(도예 전공)

- 개인전 및 부스 개인전 10회

- 청와대 사랑채 시연 작가

- 2024) 연수구 미술협회전 - 갤러리 나무

- 2024) 인천미술 100인 초대전 - 예하로 902

- 2023) 인천호텔아트페어 - 송도 센트럴파크호텔

- 2022) iwab 인천국제아트쇼 - 하버파크 호텔

- 2021) 양구 백자박물관 프로젝트- 천 개의 빛 (작품소장)

역임

　인천미술대전, 인천경제자유구역청 미술 장식 심의, 소사벌
　미술대전, 서구 작품공모 심사위원

현재

　인천미술협회, 아름우리회, 인천현대도예가회, 연수구 미술
　협회, 인천여성미술비엔나레 회원, 인천미술대전 초대작가

람정 박영동

1. 어린 시절

고향: 인천시 강화군 내가면 황청리

출생: 1958

어린 시절 강화도는 경기도에 속해 있는 우리나라에서 5번째로 큰 섬이다. 농업과 어업에 종사하는 전형적인 시골 마을이지만 지붕 없는 박물관이라고 할 만큼 역사와 문화의 고장이며 자연경관이 뛰어나다. 인삼과 화문석 강화읍 내는 직물 공장이 있어 삶이 풍부한 전형적인 농촌 마을이다.

내가 서예에 관심을 두게 된 것은 현대 서예가의 한 분이신 故 東庭 박세림(朴世霖, 1924~1975) 先生님이 이웃에서 태어나셨으며, 인천에서 왕성하게 활동하시다가 1975년(예총회장 재임 시) 2월5일 50세의 젊은 나이에 작고하시기까지 대한민국 국전 초대작가로 활동하신 유명 서예가 집안의 영향을 받은 듯싶다.

2. 작품 세계

"마음의 소통을 서예로 담아내다"

서예는 작품에 보이는 이상의 무게를 지니며, 수련과 인격 수양의 길로 안내한다.

서예는 문자를 소재로 하는 조형예술이다.

우리의 마음을 자유롭게 표현할 수 있는 작업이기도 하며, 우리의 감정과 정서를 붓으로 표현하고 화선지에 담아내는 것이 서예이다.

서예의 매력은 흑백으로 이루어지는 선의 질감과 공간의 조화이다.

공간을 비워서 여백의 미를 살리는 것이 동양의 서예이다.

붓을 통한 선은 같은 검은색이며, 물이 섞이는 농도와 필압 속도에 따라 다양하게 표현된다. 서예는 예술적 표현뿐 아니라 교육적 가치도 지니고 있습니다.

붓과 종이를 다루면서 우리는 집중력과 인내심 창의력을 기를 수 있습니다.

漢字愛國歌

東海水와 白頭山이 마르고 닳도록...

甲辰孟夏藍庭朴永東書

한자 애국가 (한지 50 × 70cm) 우리나라 지도에 애국가를
한자로 쓰다

학교 갤러리 도슨트 자료

3. 경력

박영동

대전대학교 인문예술대학
서예전공 졸업

개인전

2024.05. 찾아오는 '미술관 이음' (서인천고 정파갤러리)

2023.10. 인천코리아아트페스티벌 부스전(송도컨벤시아)

2018.10. 인천국제아트페어 (인천 송도컨벤시아)

2016.04. 제2회 람정 박영동서전(서울 경인미술관)

2016.06. 제2회 람정 박영동서전(인천경제자유구역청 G갤
러리)

2009.11. 제1회 람정 박영동서전(인천종합문화예술회관 대
전시실)

역임

대한민국 미술대전 서예부문 초대작가(국전)및 심사위원,

한국미술협회 서예분과 이사, 인천광역시 미술협회 부회장,

인천예술총연합회 이사, 인천광역시 초대작가회 이사, 인천광

역시 미술대전 초대작가, 운영위원, 심사위원, 경기도 미술대

전 초대작가, 심사위원, 경인미술대전 초대작가, 운영위원, 심사위원, 대한민국서예술대전 심사위원장, 제물포 서예. 문인화. 서각대전 초대작가, 운영위원장, 심사위원장, 한국서화명인대전 초대작가, 운영위원, 심사위원, 연수구예술인연합회 회장, 연수구서예협회, 강화서예가 협회 회장

현재

. 부천 서예.문인화협회 자문위원, 한국학원총연합회 부회장, 한국전각협회 이사, 한국서예가협회 이사, 한국전통전승예술원 이사, 한국서예총연합회 대의원, 인천서예술연구회 회장, 인천서예학회 이사장, 인천광역시 교육청 정책자문위원, 연수문화재단 이사, 연수구립관악단 운영위원, 연수문화원 감사, 연수구 고향사랑운동 부위원장, 연수문화원 서예강사, 인천향교 서예강사, 국립인천대학교 평생교육원 겸임교수, 송도람정서예학원 원장

근정 서주선

1. 어린 시절

고향: 전북 고창군 무장면 성내리

출생년도: 1955년

어려서부터 만화 보기와 그림 그리기를 즐겨하다가 중학교 때 미술반에 들어가게 되었는데 아버님께서 아시고 환쟁이는 배고프다고 호되게 야단을 치셔서 미술반을 못 하게 되었지만 그림에 대한 꿈은 버리지 못하고 군 제대 후에 본격적으로 그림을 그리게 되었으며 50여년 가까운 세월 작업을 하고 있다.

2. 작품 세계

1980년대 작품 활동은 호랑이 그림의 대가 로당 서정묵 선생님 문하로 들어가며 호랑이를 그리기 시작하였으며, 1989년도 계정 민이식 선생님을 사사하며 문인화 분야로 작품 활동을 전향하는 등 50여년 가까이 전업 작가로 활동하고 있다.

2021년 개인전을 준비하며 렌티큘러라는 소재를 이용한 새로운 작업을 한국화 분야에서는 최초로 시도하여 렌티아트라고 명명하여 미술 장르의 한 분야를 만들게 되었다.

마이크로소프트사의 AI 검색 앱 Bing에서 렌티아트를 검색하면 창시자로 나오며 그에 대한 자세한 설명이 덧붙여 검색된다. 렌티아트의 대표적인 작품은 극과 극의 만남을 말할 수 있는데 코로나 펜데믹 이후로 더욱 심화되어 가는 양극화에 대한 안타까움으로 렌티큘러의 변환 효과를 이용하여 공존을 표현하여 약자와 강자가 함께 사는 세상을 구현해 보았다.

호화 70X67cm
지분에 채색 1998

풀들아 65X45cm
순지에 수묵담채 2009

범 없는 산중에 62X38cm
지분에 수묵담채 2010

개 팔자 67X39cm
지분에 수묵담채 2018

다람돌이와 산군 85X116cm
렌티큘러 2023

먹이사슬의 최강자인 호랑이와 최 약자인 다람쥐를 한 공간에
그려 넣어서 공존의 의미를 표현하여 작품화 해본 것이다.

학교 갤러리 도슨트 자료

이와 같은 뜻의 작품으로는 부귀를 상징하는 목단과 청빈을
상징하는 매화를 함께 그려 넣어서 공존의 의미를 갖는 작품
을 만들어 내었다. 이외에도 렌티큘러의 변환 효과를 비롯하
여 입체 효과의 신기함으로 2021년 개인전을 필두로 수많은
아트페어와 전시를 통해 선보이며 주목을 받게 되었다.

상사화 85X110cm 렌티큘러 2023

3. 경력

서주선 Seo Joo Sun

국립 인천대 교육대학원
미술교육과 졸업(석사)

개인전 15회(부스전 포함)

2024 연정갤러리 초대 개인전(인천 연정갤러리)

2024 월드아트쇼 서주선 렌티아트 작품전(코엑스전시홀)

2023 아시아아트쇼 서주선 렌티아트 작품전(송도컨벤시아)

2023 월드아트쇼 서주선 렌티아트 작품전(코엑스전시홀)

2022 서주선 렌티아트 초대전(더스타 갤러리, 가가화랑)

2021 서주선 렌티아트 명명전(인천문화예술회관, 인사아트센터)

2017~2020 인천국제아트페어(송도컨벤시아, 인천문화예술회관)

2015 서주선 작품 개인전(갤러리라메르, 인천종합문화예술회관)

2013 근정 서주선 문인화전 인천아트페어(인천종합문화예술회관)

2012 근정 서주선 개인전(인사아트센타, 인천종합문화예술회관)

2011 근정 서주선 문인화전 인천아트페어(인천종합문화예술회관)

2010 근정 서주선 문인화전 인천아트페어(인천종합문화예술회관)

2005 근정 서주선 문인화전 필하모니아트페어(인사아트프라자)

학교 갤러리 도슨트 자료

2002 근정 서주선 문인화 개인전(인천종합문화예술회관)

1999 근정 서주선 문인화 개인전(명보갤러리)

주요 단체전 300여회

인천미술해양대축전(인천송도컨벤시아, 인천문화예술회관)

한국서예정예작가협회전(인사동 한국미술관 등)

한국서예가협회전(인사동 한국미술관, 보아미술관)

한국문인화연구회 회원전 (갤러리 라메르)

전북세계서예비엔날레(한국소리문화의 전당)

고창한묵회전(경인미술관, 고창문화의 전당)

강암묵연전(한국소리문화의 전당)

인천시미술초대 추천작가전 (인천문화회관)

인천광역시서예가협회전 (인천종합문화회관)

인천광역시문인화협회전 (인천시문화회관)

99인천포스트전 주제 - 대화 (인천종합문화예술회관)

역임

2020/03/ ~ 동방문화대학원대 학사학위과정 동양화전공 교수

2020/12/ ~ 2022/11/ 인천문화재단 이사

2017/02/ ~ 2021/1/ 인천미술협회 회장, 인천예총 이사

2016/08/ ~ 2017/12/ 원광대 동양학대학원 서예문화학과 강의

2015/02/ ~ 2017/02/ 한국문인화연구회 회장

2006, 2013, 2024 대한민국미술대전 문인화부문 초대작가, 심사위원 역임

2006/02/ ~ 2011/02/ 인천광역시서예가협회 회장

2004/08/ ~ 2005/12/ 세종대학교 예체능대학 회화과 강의

2000/02/ ~ 2002/02/ 인천문인화협회 회장

경기, 부산, 제주, 전북, 경남, 전남, 울산, 강원미술대전 등 한국미술협회 지회 주최 미술대전 심사위원 역임

추사 김정희 추모 전국휘호대회(예산문화원) 심사위원장 등 각종 대회 심사위원 역임

현재

한국미술협회 부이사장, 갤러리 예새 대표

고창한묵회 회장, 고금미술연구소 주재

한국서예정예작가협회 부회장, 한국서예가협회 감사

인천서예가협회 고문, 인천문인화협회 고문

한국문인화연구회 회원, 강암묵연회 회원

Mobile 010-6668-5100

학교 갤러리 도슨트 자료

캘리그라퍼(calligrapher)

글빛 박혁남

1. 어린 시절

고향: 전남 완도군 노화읍 구석리

출생년도:1960

글빛 박혁남은 남도의 끝자락 가물가물 떠 있는 완도의 작은 섬들, 그중에 노화라는 섬에서 태어났다. 갯내음, 해초 내음, 아득한 들녘에 소 울음소리가 풀잎에 젖을 때면 뱃고동 소리가 숭어 떼를 몰고 다니는 섬이었다. 사물에 대한 호기심이 강했고, 호기심을 표출하고자 하는 욕심도 남달랐다. 초등학교 시절, 선생님을 도와 아침 자습의 칠판 글씨와 환경 정리를 잘하는 아이였으며, 글짓기에도 관심이 많았다.

'붓글씨 교본'이라는 책자를 처음 대하고 설레었던 그때를

학교 갤러리 도슨트 자료

잊지 못한다. 무심히 넘기거나 놀기에 바빴을 그 나이에 특별한 기질을 가진 아이였다.

고등학교 1학년 때, 몇 친구들과 참여한 원광대학교 미술 실기대회에서였다. 소질은 있었으나 배운 적 없는 자신에 비해 참가한 학생들의 실력을 보고 적잖은 충격을 받는다. 이는 좌절이 아닌, 도전의 시작이었으며 평생 작가의 길로 들어서는 단초가 되었다. 당시, 두 살 위인 누님도 서예를 하고 있었으니 예술적 내림도 있었나 보다.

2. 작품세계

동양의 대표예술이라고 일컫는 서예 장르는 형식과 법을 중시하는 전통 서예와 시대의 흐름을 반영하여 새롭고 다양한 방향을 추구하는 현대적인 캘리그라피로 발전되고 있다. 글빛은 전통 서예를 통해서 국전 초대작가와 심사위원장을 역임하고 대학에서 오랫동안 서예 전공 겸임교수직도 역임했지만, 그의 고뇌는 늘 실험적이고 현대적인 데에 있었다. 그의 작품들 속에서는 새로운 방향을 찾고자 하는 작품들로 무성하다. 전통의 조형 어법을 뛰어넘고자 하는 그는 캘리그라피 라는 장르를 만나 더욱 구체화되기에 이른다.

『글빛 선생의 캘리그라피는 독특한 어법이 있다. 오랫동안 전통 서예의 토대 위에 현대 서예의 다양한 시도와  캘리그라피의 영역을 확장하고 쌓으면서 얻은 결과이다. 필(筆)과 먹의 구현이 캘리그라피라고 해서 다르고, 서예라고 해서 다르지 않다. 필(筆)과 도(刀)가 하나이고, 종이[紙]와 석재(石材)도 같아서 필획(筆劃)이든 도획(刀劃)이든 그 선질(線質)과 개성은 타인이 쉽게 넘기 어려운 여러 미학적 아름다움을 남긴다. 박혁남 캘리그라피는 색과 무늬, 재질과 소재에 따라 조화를 부리기도 하지만, 깊숙한 곳에서 울려 나오는 선미(線美)는 잊을 수 없다. 수십 년 적공(積功)이 도달한 지점이다.』

3. 시-서-화(詩-書-畵)정신

'시-서-화 동원(詩-書-畵 同原)'이라는 말이 있다. 이 말은 '글을 쓰고, 글씨를 쓰고, 그림을 그리는 창작자의 생각이

- 103 -   학교 갤러리 도슨트 자료

같은 뿌리에서 나온다.'라는 말로, 창작 형태는 다르더라도 임하는 정신이나 고뇌는 같은 데서 나온다는 뜻이다.

특히 오늘날, 다양하고 새로운 문화의 홍수 속에서 서예 장르 또한 새로운 창작 방식이 요구되는 시점이다. 서예의 출발은 무엇을 쓸 것인가? 로 시작된다. 글감은 그릇이며, 서예는 그 그릇 속에 담긴 음식이다. 음식과 어울려야 하는  것이 그릇인 것이다. 한 줄의 글씨를 쓰더라도 그 문장의 선택이 작가의 생각에서 여과된 내용이어야 하며, 모래알 같이 많은 문학 작품들 속에서 가장 적절한 글감을 찾는 안목이며, 품격이다. 이가 곧 시-서-화(詩-書-畵)정신인 것이다.

『글빛 선생이 택한 문장, 어구, 단어는 공허한 울림이나 저

혼자 거창한 담론이 아니다. 일상에 밀착한다. 생활 속에 살아 있고, 우리 안에 존재하며, 삶 속에 피어나는 생명이다. 그 말들이 필획과 도획과 만날 때 새로운 조형 언어로 태어난다.』

이처럼, 남의 글을 차용하는 선문에 있어서 작가의 정서가 깊이 개입되어 있어야 할 것이다. 글빛 선생은 이미 인정받는 시인으로써 작품들은 대부분 자작시다. 창작 단계에서부터 어떠한 내용을 어떠한 구성으로 배치하고 회화적인 요소를 끌어들일 것인가에 대해 실천하는 시-서-화 작가이다. 글감이란 우연히 발견할 수도 있겠지만, 지금 하고 싶은 말을 해야 하는 작품의 일부요, 작품이기 때문이다.

4. 캘리그라피 창작, 그 다양성

글빛의 작품은 평면을 넘어 전각과 회화, 퍼포먼스에 이른다. 이는 캘리그라피 영역의 가능성과 확장성을 의미한다.

　　학교 갤러리 도슨트 자료

현재의 생각이 곧 작품이
되며, 생활 가운데서 쉽게
표출될 수 있는 즉흥적인
창작을 좋아하며 그러한
생각을 창작의 중심에 둔
다.

『캘리그라피 창작도 서예
창작과 마찬가지로 미적법
칙과 예술철학, 그리고 정취에 따라 재창조를 진행한다. 규
율에 부합하지만 속박 받지 않으며, 내적 정감을 외적으로
형상화는 자유로운 창작 활동이다. 캘리그라피는 형식의
자유로움과 표현 방식의 다채로움, 재료와 접목하는 즐거
움, 일상 속에서 예술을 품어 안고 가는 멋과 맛이 또 새
롭다. 글빛 선생의 캘리그라피의 맛과 멋은 생활 속으로
들어갈 때 더욱 구체적으로 나타난다.』

5. 캘리그라피, 한국적 예술로

언어의 함축, SNS 활동의 가속화, 시각성이 중시된 현대

사회에서 감성적 표현이 특성인 캘리그라피 장르의 예술적 효용성이 확대되어 가고 있다. 특히 유네스코세계문화유산인 한글이 캘리그라피의 소재로 주목받고 있는 때가 바로 지금이다. 서예가 취향 중심의 사회 속이나 서예계 전문집단의 향유를 벗어나 생활 속에서 그 아름다움을 향유하는 대중적 문자 예술로 발전되고 있는 것이다. 캘리그라피가 산업현장 속에서, 사회 속에서 효용성이 커져 나가고, 대중적 관심이 높아지는 데는 감성적 표현의 특성 때문이다. 육필(肉筆)에서 전해지는 아날로그적 순수함이 지닌 힘이다. 또한 이러한 특성과 맞물려 다양한 소재 개발과 디자인의 접목 등으로 미래 시대에, 정서에 부합되는 예술 장으로 발전되고 있어야 한다. 기계문명의 가속화 속에서도 인간의 정서를 대변할 수 있는 캘리그라피가 한국적인 예술로 정착, 발전되리라 기대한다.

글빛은 캘리그라피 장르 그 중심에 서서 평생 쏟아 부은 전통 서예의 미학을 캘리그라피에 또 한 번 발산하고 있다.

*평론: 이용진(월간서예 문인화 편집주간, 2023년. 개인전)

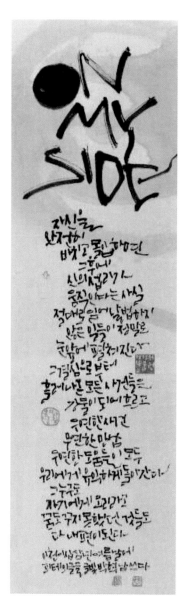

괴테의 글 27~81센티

'최선을 다하면 모두 내 편이
된다.' 라는 교훈적인 괴테의
글을 선문하였다.

핵심어인 '내편'(on my side)
을 영문으로 썼다.

전통 서예의 판본과 궁체의 필
법을 기본으로 자유롭게 창작
하였다.

강약, 대소, 비백, 여백미를 살
리고 바탕을 채색으로 이미지
화 하였다.

경력

박혁남 park hyeok nam

대전대학교대학원 서예과 졸업

개인전 11회

2002 예술의 전당(한가람미술관, 서울

2004 예술의 전당(한가람미술관, 서울)

2008 빛갤러리(인천)

2009 경인미술관(서울), 인천종합문화예술회관

2011 아트페어 인천(인천종합문화예술회관)

2012 아트페어 인천(인천종합문화예술회관)

2013 미추홀도서관초대전(인천), 한국미술관(서울)

2015 미홀갤러리 초대전(인천)

2023 인천글로벌센터갤러리(뉴욕주립대학교)

2023 니갤러리 초대전(사천)

2023 혜원갤러리(인천)

단체전(400여 회)

2017 전국대표작가한글서예초대전(부산문화회관)

2019 세계서예전북비엔날레 (시·서·화전) 전북에술회관

2021 세계서예전북비엔날레 (디자인글꼴전,작은대작전)전북
    예술회관

2022 2022 kcca 캘리축제(캘리,인천에서꽃피다) 인천교육
    청 평생학습관

2023 한국캘리그라피창작협회 회원전(인천글로벌캠퍼스갤
    러리), 한글서예 이탈리아 특별전

역임

 대한민국미술대전서예부문심사위원장 2회

 수원대 미술대학원 서예전공 겸임교수

 대전대학교 서예과 외래교수

현재

 사)한국캘리그라피창작협회이사장

 한국미술협회지도자사범캘리그라피부문총괄심의위원장,

 빛아트문화상품 대표

 mobile 010-8009-2220

박희진

1. 어린 시절

고향: 전남 목포시 죽교동

출생년도: 1975

남사당패였던 외조부모님의 영향이었는지 우리 세 자매에게는 예술가의 기질이 있다. 고전무용을 전공한 언니, 피아노를 전공한 여동생, 그리고 나는 뒤늦게 민화에 발을 들여 그림을 그리고 있다. 삼대가 큰 한옥집에서 모여 살았던 우리 집에는 이름도 모르는 조상들의 제사며 가족들의 생일까지 한 달에도 몇 번씩 집안의 대소사로 행사가 많았다. 제사를 지낼 때면 제사상 앞에는 뜻을 알 수 없는 서화 병풍이, 할머니의 회갑연을 치를 때는 빨간 비단에 장수를 상징하는 소나무와 학을 수놓은 병풍이 놓여졌다. 우리 아빠는 마음에 드는 동양화나 서화를 사서 집안 곳곳에 걸어두셔서 전통 그림이 나에게는 낯설지 않았다.

2. 작품 세계

가. 한지 그림

초등학교 교사가 되어 내가 맨 처음 한 일은 교실 뒷면의 초록색 게시판을 은은한 색감이 예쁜 한지로 덮는 일이었다. 나는 유난히 한지를 좋아했는데 내가 그림이라는 것을 배우고 처음 해 본 작업이 한지로 그림을 그리는 것이었다. 밑그림을 그리고 그 위에 다양한 색깔의 한지를 한겹 한겹 붙이면서 깊이감을 주고 아크릴 물감으로 마무리하는 지난한 과정이었지만 내게는 좋아하는 한지로 작업할 수 있는 행복한 시간이었다.

한지에 믹스 22*27

나. 그날을 기다리며

2018년에는 역사적인 사건이 있었다. 남북정상회담이 판문점에서 열렸고 나는 6학년 우리 반 아이들과 사회 시간에 실시간으로 그 뉴스를 보고 있었다. 문재인 대통령과 김정은 위원장이 두 손을 맞잡는 모습을 TV 화면으로 보며 가슴이 벅찼다. 언론에서는 연일 보도가 쏟아졌고 시민들도 이렇게 통일이 되는 건 아닌가? 기대감으로 들떠 있었다. 나는 역사적인 장면을 그림으로 남겨야겠다고 생각했다. 민

순지에 분채 98*88

화에는 그 그림을 그리는 사람의 소망이 담겨 있다. 소나무를 사이에 두고 서로를 그리워하는 토끼를 분단된 우리 조국으로 표현하였고 독수리는 미국을 비롯해 한반도를 둘러싼 강대국을 상징한다. 구름과 용이 토끼들을 독수리로부터 보호하려는 듯 달 주변을 감싸고 있다. 민화에서 용은 신령한 구름과 같이 그려져 나쁜 기운을 막아주는 것을 의미한다. 반만년 우리 한반도를 지켜주었던 운룡(雲龍)의 기운이 다른 나라의 나쁜 기운을 물리쳐 평화로운 통일이 이루어지기를 기원하는 마음으로 이 그림을 그렸다.

다. 엄마의 시조(時調)

집안의 대소사가 많은 집에 시집와서 시부모님 모시고 시동생, 시누이 뒷바라지에 자식 넷 키우기까지 한평생을 우리 집안의 든든한 울타리 같은 역할을 하셨던 엄마가 2022년 췌장암 6개월 시한부 판정을 받았다. 고달픈 엄마의 인생을 생각하며 울면서 이 그림을 그렸다.

고달픈 나의 하루

지는 노을에 흘려보내고

여전히 철없는

저 새끼들을 어이할꼬

까치 너는 뭘 바라느라

내 앞에서 알짱대느냐

시끄럽고 시끄럽다

이제 나 쉬고 싶네

순지에 분채

60*160

라. 너는 나에게 온 선물

　2023년 여름, 서이초등학교에 근무하던 젊은 교사가 학교에서 스스로 목숨을 끊은 사건이 발생했다. 학생인권보호와 교권 침해라는 첨예한 갈등이 학교 현장에서 늘 있었고 학부모들의 도에 넘치는 민원은 특히 초등학교에서는 이미 선을 넘은 지 오래였다. 가르치는 보람과 배움의 즐거움이 있는 교실을 꿈꾸며 우리 반 28명의 아이를 2023년 우리들의 추억 속에 담아 그려보았다. 아이들에게는 우리 반에서 나는 1년 동안 어떤 모습이었는지 표현하게 했고 나는 갑진년 청룡의 기운을 받아 우리 반 아이들이 건강하고 행복하길 바라는 마음을 담아냈다.

순지에 수간 분채 73*115

학교 갤러리 도슨트 자료

3. 경력

박희진 Park Hee Jin

목포대학교 윤리교육과

주요 단체전 20여 회

2024 갑진년 세화전 '복 많이 받으세龍'

    (인천평생학습관 나무갤러리)

2023 2023 인천코리아아트페스티벌 (송도컨벤시아홀)

2023 인천광역시교육청평생학습관 마을교육공동체기획전

    '문자도에 담은 EARTH'(인천평생학습관 나무갤러리)

2023 인천민화협회 기획전 '봄꽃전'(송도G타워 G갤러리)

2022 인천교사민화연구회 나도 어린이 작가 프로젝트

    '우리마을 수호신 만들기'(인천평생학습관 나무 갤러리)

2022 인천코리아아트페스티벌 (송도컨벤시아 2전시홀)

2022 '민화에 행복을 그리다'(인천여자고등학교 화랑 빛여울)

2022 임인년 세화전 가온갤러리 초대전 '복많이 받어~흥'

    (인천학생교육문화회관 가온갤러리)

2022 평화를 여는 한중미술교류전 (IGC인천글로벌캠퍼스 전시관)

2021 인천민화협회 네 번째 회원전 '민화에 동심을 담다'

    (한중문화관)

2020 경자년 세화전 '올해도 행복하쥐'(한중문화관)

2019 인천민화협회 세 번째 회원전 '가을에 민화를 담다'
　　　(인천문화예술회관 소전시실)

2019 기해년 세화전 '복많이 받으면 돼지전'(화교역사관)

수상경력

2022 제9회 대갈문화축제 현대민화공모전 입선(제2023-44호)

2021 제14회 대한민국민화공모대전 장려(제21-27호)

2020 제23회 김삿갓문화제 전국민화공모전 입선(제80호)

2020 제7회 대갈문화축제 현대민화공모전 특선(제2020-30호)

2019 제5회 대한민국민화대전 입선 (제2019-806호)

현재

　인천민화협회 회장

　인천교사민화연구회 회장

　2024 학교예술교육지원단

　인천고잔초등학교 교사

　Mobile 010-7999-1095

　　　학교 갤러리 도슨트 자료

이경미

1. 어린 시절

고향: 경기도 여주군 대신면

출생년도: 1978

경기도에서 외곽 시골이라 여겨지는 여주군에서 태어났으며, 여주군에서도 면소재지의 작은 마을에서 자랐다. 마을에는 작은 가게가 하나 있는 정도였고, 산으로 들로 돌아다니며 산딸기, 밤, 깨금, 산수유 등을 따먹기도 했다.

집 바로 뒤의 아름드리 나무 숲에서 많이 뛰어 놀았고, 여름이면 남한강 지류인 하천에서 민물고기와 민물새우도 잡는 등 자연과 함께 하는 유년시절을 보냈다.

그림을 그리는 것이 좋아서 초등학교 때부터 미술로 주목을 받고 상도 많이 받았으나, 다른 학교생활에서는 많이 활발하진 못했다. 모든 면에서 말로 표현하는 것보다 시각적인 관찰이나 경험이 앞섰다. 고등학교 때까지도 스스로 자원하여 발표를 한 번도 한 적이 없을 정도였으나, 나도 많은 사람 앞에서 강연을 한다는 모습을 상상하곤 했다.

2. 작품 세계

가. 민화의 시작

미술교육과를 졸업하고, 교직생활은 하지 않은 채 다른 일을 하며 살아가고 있었다. 둘째 아이가 태어나고, 이사를 한 아파트 게시판에서 우연히 평생학습센터의 개관소식과 강사모집 공고를 보게 되었다.

민화를 작업해본 적은 없었지만, 대학시절 세부전공으로 한국화를 전공했기에, 자연스럽게 민화강사라는 직업으로 민화를 시작하게 되었다.

막상 민화 강사 일을 하며 수업을 진행하다 보니 민화는 생각보다 어려웠고 민화에 대한 갈증과 궁금증은 더 많아졌다.

초등학교 때부터 빛과 명암에 의한 사실적 표현의 교육, 흰색과 검정색을 뺀 투명수채화의 경험, 원색을 그대로 사용하는 것은 너무나도 어색하고 힘들었다.

그러면서도 민화에 대해 공부하고 싶었고, 극복하고 싶었다.

민화강사로 민화계에 첫발을 들이밀며, '민화작가가 꼭 되어

야겠다는 결심 같은 건 없었는데, 시간이 갈수록 공모전에 출품도 하고 인정받고 싶었다. 무엇보다 너무나 재미있었다.

나. 민화 작가로서의 시작

혼자 시작했던 민화의 갈증으로 서울에 계신 선생님을 만났고, 1년여를 선생님 밑에서 전통 민화 공부를 했다.

그러던 중, 전통 민화 일색인 민화계에 '창작민화'공모전이 생긴다는 소문이 돌았다. 선생님께서도 나에게 자신감을 불어넣어주셨다. 모란과 책가도를 결합한 작품을 출품하게 되었고 최우수상이란 큰 상을 받게 되었다.

당시 민화의 신생아인 내가, 최우수상이라니... 얼떨떨하고 한편으로는 하늘을 날것도 같았다.

칭찬은 고래도 춤추게 한다는 말이 맞을 정도로, 한번 탄 상은 나에게 창작민화 작업을 지속할 수 있도록 큰 에너지와 열정을 주었다.

어떤 창작민화 작업을 해도 즐거웠고, 또 반응도 좋았다.

나에게 창작민화는 어렸을 적부터 그려오던 나의 그림들처럼 즐거웠고, 쉬웠다. 또한 긍정적인 소망으로 나에게 늘 좋은 생각을 하도록 이끌어주는 존재였다.

다. 창작민화: <한글문자도> 시리즈

민화 속에는 '문자도'라는 주제가 있다.

말 그대로 문자가 아닌 '문자도'이다. 문자를 그린 그림이라는 뜻이다. 한 붓으로 써내려간 글씨가 아닌, 많은 붓질을 통해서 그림과 문자를 함께 엮어 그린 것이 '문자도'이다.

어느 날 '문자도'를 보았는데 어떤 글자인지, 어떤 뜻인지 알 수가 없었다. 어떤 참고 서적을 보면 민화의 문자도가 거꾸로 그려진 그림도 있었다. '효제충신예의염치', '장수', '복', '부귀'라는 뜻을 담고 있다는데, 해설을 보거나 민화에 대한 경험이 많으면 알지만, 그냥 봐선 정말 그런 좋은 뜻을 대부분의 사람들은 알 수가 없었다. 남녀노소 누구나 쉽게 알아볼 수 있다면 얼마나 좋을까? 그러한 이유로 시작한 것이 <한글문자도> 작업이었다. 정의를 상징하는 해태를 그려서 <한글문자도 정의>를 표현했고, 부귀라는 글자에 모란꽃을 그려 <한글문자도 부귀>를 표현했다. 십장생도와 장수라는 글자를 합하여 <한글문자도 장수>를, 일월오봉도를 활용하여 <한글문자도 왕>이라는 작품을 그려냈다. 누가 보아도 쉽게 민화의 뜻을 알 수 있으면 좋겠다는 의미로 표현한 것이 <한글문자도> 시리즈였다. 공교롭게도 내가 사는 곳인 여주는 세종대왕릉이 있어서 한글문자도 작업은 더 특별했고 의미가 있었다.

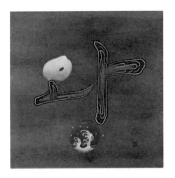

한글문자도 정의
45.5 X 53cm 이합지에 채색

한글문자도 왕 50 X 50cm
이합지에 채색

라. 창작민화의 변화 ： <슈퍼우먼만복도> 시리즈

창작민화에서 다양한 상을 수상하며, 나의 창작민화에 대한
나 스스로의 신뢰와 성취감이 커져갔다.

어느 것을 그려도 긍정적인 소망을 그린 그림이라면, 창작민
화의 표현은 가능했다. 특히 나의 삶의 모습에서 긍정적인 소
망을 담아 풀어내는 작업은 너무나 즐거웠다.

그렇게 발표한 작품이 <슈퍼우먼만복도>시리즈이다.

대한민국에서 '슈퍼우먼'이란 단어는, 가사일과 직장일을 모두
다 잘하고픈 여성을 칭한다. 나 역시 가사일과 민화강사, 민
화작가를 병행하는 엄마로서 모두 다 잘 성취해내고 싶은 엄
마였다. 어린아이들을 기르며, 작업을 하며 늘 고픈 것은 시
간이었고, '슈퍼우먼'인 내가 제일 갖고 싶은 여유를 그림 속
에 담아 <슈퍼우먼만복도>라는 시리즈를 작업하게 되었다.

학교 갤러리 도슨트 자료

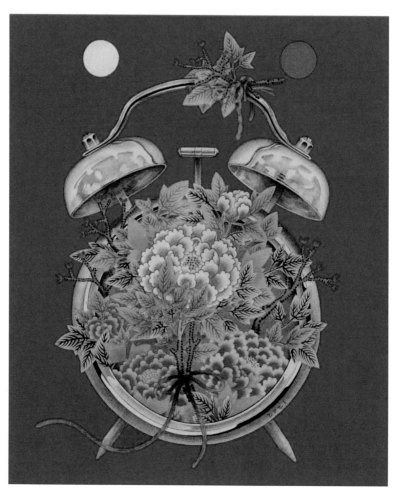

<슈퍼우먼만복도14> 72.7 X 60.6cm 이합지에 채색 2021

<슈퍼우먼만복도> 시리즈에서 주로 등장하는 것은 반짝이는 알람시계와 다양한 소망을 담은 민화 속 사물이다.

반짝이는 알람시계는 작품의 주축이 되는 원형액자 같은 틀이며, '여유'를 상징하는 나만의 상징물이다.

과거 전통민화에서 그려지던 시계는 <책거리도>나 <책가도>에서 많이 볼 수 있으며, 당시 귀한 신문물인 시계를 그림으로서 자신의 부를 과시하거나, 그러한 부귀를 소망하는 소재로 그려졌다. 그러한 과거의 시계를 여유를 상징하는 현대의 소재로 재탄생시켜보았다.

이 작품을 발표했을 때, '빛에 의한 명암법을 위주로 한 극사실적 표현이 민화인가'라는 논쟁이 많았다고 들었다. 현재는 그러한 논쟁은 가치가 없을 만큼 민화의 다양한 표현기법과 재료, 민화의 상징에 대한 함축성, 민화의 동시대성의 표현은 민화의 중요한 중심이 되었다.

이후 <제1회 설촌창작민화장학상>을 수상하며, 창작민화 부분에서 좋은 일이 많이 생겼다.

상을 받는다는 것은 1회성의 상장과 상금이 중요한 것이 아니다. 나의 작품세계에 대한 인정이며, 달릴 수 있는 힘이었다.

여기에서 나는 예술의 순기능과 힘을 경험하였다. 나의 마음의 투영, 다양한 힘든 상황을 긍정적인 소망으로 승화시키는 과정, 그러한 작업을 통한 나의 내면의 발현 및 치유가 그것이다.

학교 갤러리 도슨트 자료

3. 경력

이경미

2001 공주대학교 사범대학 미술교육과 졸업

2008 공주대학교 일반대학원 미술학과 졸업
(미술학석사)

2001 중등 정교사 2급 미술(교육인적자원부)

2019 민화지도사 1급(한국민화교육협회)

현재

여주미술협회 한국화분과장, (사)한국민화협회 여주지회장,

(사)한국민화교육협회 여주지회장, 민수회, 대갈화사회, 충남한

국화협회, 한길한국화협회회원, 리원민화교육연구소 대표

강의경력

-공주대학교 미술교육과, 여주시 여성회관, 여주박물관,

송삼초등학교, 여주세종문화재단, 세종대왕유적관리소,

창명여자중학교, 여주예총,여주시 외국인센터, 여주미술관

<미술관 속 마음북소리>강사역임

-국립한글박물관 <한글문자도 행복>작품 및 교육영상 촬영

개인전 4회, 아트페어 2회, 단체전 120여회

수상경력

2020 <물렀거라, 세화 나가신다> 우수상(동덕아트갤러리)

2021 <물렀거라, 세화 나가신다> 특별상(동덕아트갤러리)

2021 표창장(경기도지사)

2022 여주시 평생학습프로그램경진대회 우수상(여주시장)

2023 여주시 평생학습프로그램 공모전 우수상(여주시장)

2023 <물렀거라, 세화나가신다> 특별감사상(동덕아트갤러리)

2023 2023대한민국 평생학습도시 학습동아리&숨은고수 열전
 대회 우수상(전국평생학습도시협의회)

2024 여주시 평생학습프로그램 공모전 최우수상(여주시장)

작품소장

한국민화뮤지엄, 아트뮤지엄 려, 한국문화정품관

심사

2020 대한민국미술대전 심사위원 역임

2023 대한민국민화공모대전 심사위원 역임(한국민화협회)

학교 갤러리 도슨트 자료

퍼포먼스

홍오봉

1. 어린 시절

고향: 충청남도 논산

출생년도: 1956

- 호기심 넘치는 유년시절과 고교시절에 정식 그림 공부를

나는 신령스러운 계룡산과 대둔산 그리고 아름다운 금강과 평야가 풍수지리학적으로 잘 안배된 황산벌 논산(백제시대 수도권)에서 태어났다. 어린 시절부터 호기심이 무척이나 많아서 이곳저곳을 마냥 쏘다니는 것을 좋아했다. 지금도 그 시절을 생각하면 학교 공부는 별로 안 하고, 많은 곳을 쏘다닌 기억만 가득하다. 그러나 지금 생각하면 걸어 다니며 하는 공부, 즉 생활 체험 공부 내지는 향토 체험 공부를 많이 한 것 같다. 당시 함께 다닐 친구가 없으면 혼자서라도 호기심 당기는 곳에 발품을 팔아 쾌감을 느끼곤 했었다.

이러한 무차별적인 호기심으로 생성된 수많은 체험은 초등학교 시절 그림그리기에 그대로 반영되어 타고난 미적 재능을 증폭되게 했다. 그리고 이러한 호기심은 초등학교 6년간 미술반 활동을 하면서 '논산(論山)'이라는 드라마틱한 시공간을 도화지에 수없이 그리고 또 그려내어 수많은 미술대회에서 수상하는 계기가 되었고, 화가의 꿈도 키울 수 있었다. 그러나 중학교에 입학하고서부터는 호기심이 미적으로 잘 반영되는 그림 공부보다는 학교 공부 쪽으로 옮겨져서 그간에 열심히 하던 그림 공부는 일단 접고, 또 다른 호기심으로 떠오른 학교 공부만 열중하게 된다. 중학교 내내 우등상을 탈 정도로 학교 공부에 대한 호기심은 컸고, 반면 그림은 서서히 내 머리에서 희미해져 갔다.

그러나 대전에서 고등학교에 다닐 때 "송충이는 솔잎을 먹고 살아야만 한다."라는 말처럼 초등학교 시절에 수없이 그렸던 그림에 다시금 인생의 목표를 정하고 그림에만 몰두하게 된다. 그 당시 선화동에 있는 와우화실에서 홍대 회화과 출신 황효창 선생님을 만나게 되었는데, 놀라운 실기 능력 소유자이신 황효창 선생님으로부터 가슴 떨리는 그림 솜씨를 목격하고, 큰 감동과 함께 새로운 호기심 당기는 미적 탐험에 불이 붙기 시작했다. 이때부터 황효창 선생님의 도움을 받아 소묘와 수채화 그리고 유화를 신바람 나게 공부할 수 있게 되었다. 날마다 기쁜 마음으로 밤낮으로 그림만 그렸다. 그림이 멋지게 완성되는 날이면 밤에도 잠을 잘 수가 없었다. 너무나 그 그림이 보고 싶어서. 수많은 전국미술대회에서 수상해 기쁨 또한 컸었고, 꼭 멋진 화가가 되리라 굳게 마음먹곤 했다.

2. 작품 세계

- 나의 퍼포먼스 총정리

1981년 야투자연미술연구회에서 <호파기> 행위미술(performance art)로 데뷔한 이래 44년 동안 나의 행위미술 작업 콘셉트를 간단명료하게 정리한다면, '자연, 인간, 사회'라 볼 수 있다. 즉 자연과 인간 그리고 사회라는 명제는 나의 행위미술이 나아가는 방향이다. 이를테면 초기에는 나뭇잎, 돌, 물고기 등을 이용, 자연이 가진 본래의 의미와 아름다움을 여러 가지 조형 어법과 감정이입을 통해 펼쳐 보였다. 그러나 이러한 흐름은 물질만능주의에 따라 상실되는 인간성 문제에 부딪힌다. 88년에 돌아가신 어머니에 대한 그리움도 거기에 한몫했다. 미술, 음악, 무용, 연극, 문학 등을 혼합, 인간을 주제로 하는 보다 대중적인 작품을 발표한다. 1990년대 들어 자연과 인간 더 나아가 복잡하게 얽혀 있는 경제 환경적

학교 갤러리 도슨트 자료

문제와 왜곡된 성문화에 초점을 맞추고 있다. 수많은 돈을 얼굴에 붙이고 거리를 다니는 행위나 "새가 죽으면 인간도 죽고, 새가 살면 인간도 산다."라는 메시지로 천민자본주의로 흐르는 우리 사회를 날카롭게 꼬집는다. "테러나 마약 그리고 에이즈는 위험하다."라는 외침도 비틀어진 우리의 정서와 성문화를 바로 잡기 위한 노력이라 볼 수 있다.

- 제물포고등학교에서의 홍오봉 퍼포먼스

1) 작품 주제 및 발표 시간 : 새와 나(20분)
2) 발표내용

자연 파괴나 물질문명 비판 등 사회적 테마를 계속 진행함으로써, 인간 본연의 문제점들을 심도 있게 파헤칠 <새와 나>라는 작품은 날로 심각해지고 있는 인문/자연환경의 파괴를 널리 알리고, 다시금 '자연과 더불어 인간의 참다운 정신과 신체가 얼마나 가치가 있는가?'를 생각하게 하고, '어떻게 클린벨트화 할 것인가?'를 모색해 보는 차원의 작품이다. "새가 죽으면 인간도 죽고, 새가 살면 인간도 산다."라는 원초적 메시지를 전하고자 기획될 이 작품은 수많은 관객이 잡은 대형 비닐 위에 빨간 루주로 '새(하늘, 호흡, 마음, 미래를 의미)'라는 이미지를 드로잉하고, 피리(생명력 있는 인간의 처절한 호흡)를 불면서 '새'의 이미지로 드로잉 된 선을 손(마음)으로 무차별 뭉개며, 그 위에 세이빙 크림, 풍선, 색종이(미래) 뿌리기 행위를 순차적으로 해나간다. 마지막으로 치유 개념 하에 '새'라는 이미지가 드로잉 된 비닐의 가장자리를 관객과 함께 들고서 정신없이 흔들어 대는 행위들로 선보이게 될 것이다. 본 프로젝트에서 실연될 이 <새와 나>라는 작품은 토털아트 스타일의 작품으로 관객과 행위자라는 이분법 파괴를 단계적으로 표현하며, 도입 단계는 은밀하게, 전개 단계는 속도감 있게, 마무리 단계는 과감한 파괴로 주어진 시공간을 구체화할 것이다. 나름대로 의도했던 주제에 따라 치밀하고 조직적인 표현으로 정리될 것이다.

주제 <새와 나> 2024 제물포고등학교 J갤러리

3. 경력

홍오봉(Hong, O-Bong)
퍼포먼스 아티스트

홍익대학교에서 <퍼포먼스에 있어서 다양한 예술적 특성에 관한 연구>로 석사 학위를 받았고 충북대, 안산공대 강사를 역임했다. 1981년 공주 야투야외 현장미술제에서 퍼포먼스 <호파기>로 데뷔한 이래 국내 유명 퍼포먼스 페스티벌에 참가하여 작품을 발표하였으며, 호주 브리즈번, 캐나다 토론토/퀘벡, 미국 뉴욕/시카고, 멕시코 멕시코시티, 영국 카디프/런던, 아일랜드 더블린, 덴마크 오덴세, 벨기에 브뤼셀, 독일 만하임/함부르크/프랑크프르트/하이델베르그, 스위스 제네바/베른/루체른/패피콘, 프랑스 파리/마르세유, 스페인 발렌시아/후에스카/마드리드, 이태리 밀라노/로마/피렌체/베니스/시칠리아, 핀란드 헬싱키, 헝가리 부다페스트, 폴란드 루블린/바르샤바/비토우, 루마니아 상트지오르지, 유고슬라비아 오드짜찌, 리투아니아 빌니우스, 러시아 모스크바, 이스라엘 텔아비브/하이파/예루살렘, 일본 동경/사이타마/요코하마/나가노/이이다/마츠모토/도야마/오사카/교토/고베

/나라/시가/기후/와카야마/나고야/히로시마/후쿠오카/구마모토/쓰시마/오키나와/삿포로, 싱가포르, 베트남 호지민, 타이랜드 방콕, 인도네시아 자카르타, 필리핀 마닐라, 미얀마 양곤, 홍콩, 마카오, 타이완 타이베이/타이퉁/카오슝, 중국 북경/텐진/상하이 등지에서 900여 회 퍼포먼스 작품을 발표했다. 그리고 미술 전문 잡지인 월간미술, 월간아트, 미술세계, 월간미술인, 예술세계, 아트코리아, 미술문화 등에 퍼포먼스 관련 원고를 50여 회 기고하였다. 부천시올해의작가상, 교육부총리 겸교육인적자원부장관상, 부천시장상, 김천시장상, 충주예총상, 사천예총상 등을 수상했고, 2012년 <경기 퍼포먼스 아트>를 저술했다.

남태영

1. 어린 시절

고향: 경기도 이천시 장호원읍

출생년도: 1982

장남으로 태어나 내성적인 성격 때문에 말수가 적었다. 친구들과 놀기보다는 혼자 노는 걸 더 좋아했다. 어렸을 때 만화를 보고, 그림을 따라 그리면서 만화가를, 사춘기 시절에는 록 음악을 들으며 기타리스트를 꿈꾸던 시절도 있었다. 하지만 그쪽으로 재능이 부족하다는 것을 알고 난 이후로는 회사에 다니다가 뒤늦게 취미로 사진을 접하게 된다.

2. 작품세계

가. 아프리카

사진작가가 되고 싶다는 꿈이 생겼을 때, 다른 사람들이 잘

가지 않는 곳으로 여행을 떠났다. 나는 전공자가 아니었고, 그렇기 때문에 다른 사람들과 다른 특별한 장면들이 필요했다. 그곳이 아프리카 마다가스카르였고, 그 여정은 너무나도 행복했다. 게다가 사진으로 누군가에게 행복을 전할 수 있다는 걸 알게 된 경험이기도 했다. 아프리카 여행은 내 인생의 많은 부분을 바꿔 놓았다. 본격적으로 사진을 찍게 된 계기이자, 마다가스카르 사진으로 첫 개인전을 하게 된 출발점이었다. 그때부터 다른 작가들과는 다른 나만의 한 컷에 대해 고민하기 시작했다.

남태영(1982~) 바오밥 나무

나. Land of the Wild

어린 시절 '퀴즈탐험 신비의 세계'라는 TV 프로그램을 즐겨봤었다. 야생동물들의 생태와 습성을 출연자들이 퀴즈로 푸는 프로그램이었다. 야생동물에 대해 관심이 생겼던 것은 아마도 그때부터였던 것 같다. 그러다가 '무한도전'이라는 프로그램에서 케냐에 있는 아프리카코끼리 고아원을 찾아간 적이 있었다. 그때 막연히 '저기는 꼭 한번 가보고 싶다.'라는 생각을 하고 있다가 다시 아프리카에 가는 계기가 되었다. 야생동물 사진을 찍어서 사진집으로 내야겠다는 목표로 두 달 동안 케냐부터 남아프리카 공화국까지 트럭을 타고 여행하면서 사진을 찍었다. 하지만 막상 아프리카에 가서 마주한 야생동물의 현실은 내가 생각하고 있던 것보다 훨씬 참혹했다. 생각보다 많은 야생동물이 멸종 위기에 처해있었고, 지구상에서 인간이 가장 무섭고 잔인한 동물임을 다시 한 번 깨닫게 되었다. 그 현실이 너무나 미안해서 내 사진으로 야생동물을 도울 방법이 없을까 고민하다가 매년 사진집 판매 금액을 코끼리 고아원에 후원하게 되었다.

남태영(1982~) 코끼리 고아원

다. Aesthetics of Lines

 야생동물을 찍기 위해 아프리카를 다녀온 이후, 본격적으로 프리랜서 사진작가로 살기 시작했다. 국내 및 해외로 여행 취재를 다니며 사진을 찍고, 글을 써서 잡지에 원고를 보냈다. 하지만 그것도 잠시. 2020년 코로나19 바이러스가 창궐하면서 계획했던 모든 일정이 멈추게 된다. 하루아침에 백수가 된 나는 우연히 본 전시에서 영감을 받았다. 그것은 스웨덴 사진작가 '에릭 요한슨'의 전시였는데, 사진을 통해 동화 같으면서 상상력을 자극하는 작품세계를 보여줬다. 그의 작품들을 통해 사진을 찍는 것에서 만드는 단계로 전환하는 계기가 되었다. 그리고 그동안 다녀왔던 여행 사진을 다시 돌아보며 사진을 재구성하기 시작했다. 이 과정에서 사진에 내 생각을 담고, 다른 사람들과 다른 나만의 장면을 만들어 내는데 한 걸음 나아갈 수 있었다. 'Aesthetics of Lines' 작업은 누구에게나 주어지는 일정한 시간을 선으로 표현하면서 그 시간 속 다양한 삶의 모습들을 이야기하고, 서로의 다름과 공존에 대해 생각해 보고자 하는 의도를 담고 있다.

남태영(1982~)Masai Women (50x50cm, Masai Women (50x50cm,

Pigment Print on Paper, Edition 3/10)

마사이족을 만난 건 2016년 케냐와 탄자니아에서였다. 21세기를 살아가고 있는 지금도 마사이족은 여전히 전통 복장인 슈카를 입은 체, 그들의 문화와 생활방식을 이어가고 있었다. 그 모습에서 나는 마치 타임머신을 타고 과거 여행을 하는 느낌을 받았다. 같은 시대를 전혀 다른 모습으로 살아가는 것에 대한 경험은 삶의 다양성에 대해 생각하는 계기가 되었고, 이 작업의 시작이 되었다.

학교 갤러리 도슨트 자료

3. 경력

남태영 Nam Tae Young

개인전

2024 Aesthetics of Lines

　　(옥련여자고등학교 연정갤러리)

　　(호텔 스카이파크 킹스타운 동대문 Art Gallery)

2023 Aesthetics of Lines (좋은꿈 갤러리), (갤러리단정),

(부광여자 고등학교), (윤아트 갤러리), (Bando Gallery 1F),

(KCC in New Jersey)

2022 Aesthetics of Lines (Gala Art Center in NewYork)

2021 Objective Landscapes (빈스서울 갤러리)

2020 Aesthetics of Lines (갤러리 브레송)

2019 Land of the Wild (갤러리카페 마다가스카르)

2018 猫한 이웃 (헤이리 갤러리 더 차이)

　　Beyond Africa_Water (헤이리마을 크레타)

　　Beyond Africa_Water (갤러리카페 마다가스카르)

2016 마다가스카르 (갤러리카페 마다가스카르)

　　猫한 풍경 (갤러리 카페 826ho)

단체전

2024 a beautiful life (마루아트센터 3층 그랜드관)

     Art Fair - (Gala Art Center in New York)

2021 호호 플리마켓 (호호 갤러리), 사진가의 시간 여행법 (갤러리 브레송), 미술관 옆 동물원 (비움 갤러리)

2019 서울 국제사진영상전 그룹전 (COEX Hall A)

2018 서빙고동 사진전 - 공유, 공감, 공생 (녹사평 광장 외)

     서울 국제사진영상전 그룹전 (COEX Hall A)

     猫한 인연 사진전(갤러리카페 허쉬드)

2016 마다가스카르 (코엑스 B Hall)

2015 마다가스카르 (갤러리카페 마다가스카르)

아트페어

2023 인천 호텔 아트페어(송도 센트럴파크호텔)

     대한민국 미술박람회 (일산 킨텍스 제2전시장)

2020 제4회 사진의 섬 송도 (포항 코모도 호텔)

사진집

2019 Land of the Wild 출간

2024 세바시 강연 https://youtu.be/TqRXR1xRtWM?si=L5qaadQVYvis2Piv

학교 갤러리에서 학생 도슨트 체험 활동 수업사례

1. '이음'전시회 학생 도슨트 활동을 위한 17명 출품 작가 자료집 제작(132쪽)

2. 단체전 출품 작가 17명, 작품반입 날 자기 작품에 대하여 출품 작가 상호 이야기 나누기

3. 학교 갤러리에서 전시 작품과 미술 직업 설명과 질문받기

4. 학교 갤러리 학생 도슨트 체험 활동 작가 학생이 선정하기

5. 자료집과 전시 작품을 감상하면서 학생 자신이 선정한 작가에 대해 도슨트 활동지 작성

6. '이음'전시회 자료집 활용 작가 작품 세계 탐구, 예시 1 (이경미 작가 작품 세계)

7. '이음'전시회 자료집 활용 작가 작품 세계 탐구, 예시 2 (이찬우 작가 작품 세계)

8. 학교 갤러리에서 작품을 보면서 작품 감상 및 비평

9. '이음'전시회 학교 갤러리에서 작품 감상과 '학생 도슨트 체험 활동지' 작성하기

10. 학교 갤러리에서 학생이 작성한 '학생 도슨트 체험 활동지'

11. 학생 도슨트 활동으로 서양화가로 활동하는 '국립 인천대학교 조형예술학부' 이계원 교수 작품설명

12. 허준혁 학생 도슨트 활동으로 한국화가로 활동하는 '국립 인천대학교 조형예술학부' 고찬규 교수 작품설명

[교수 · 학습 과정안]

과목	미술	대상	2학년 3반 16명	일시	2024. 9. 26.(목)
단원명	직업 속 펀(fun)한 미술			수업모형	
학습 주제	학교 갤러리에서 학생 도슨트 체험 활동			탐구 발표수업	
성취 기준	1. 미술 직업 세계를 알 수 있다. 2. 학생 도슨트 활동을 체험할 수 있다.				
교과 역량	■미적 감수성 ■자기 주도적 미술 학습 능력 ■시각적 소통 능력 ■창의 · 융합 사고 능력 ■미술 문화 이해 능력				
단원 구성	1차시: 미술 직업, 갤러리 직업 알아보기(큐레이터, 도슨트, 관창 역할) '이음전' 장르별 17명 출품 작가 작품세계와 작품감상 후 작품에 대해 활동지에 작성 **2차시: 학교 갤러리 출품 작가 17명의 전시 작품, 학생 도슨트 체험 활동지 작성 마무리 및 학생 도슨트 활동 발표(본시 학습)** 3차시: 학교 갤러리 출품 작가 17명의 전시 작품 도슨트 활동 발표 마무리				

본시 수업 흐름 (2차시)	구분	수업 내용	자료
	생각 열기 10′	• 전시학습 확인, 학습목표 제시	
	생각 나누 기 35′	• 학생 도슨트 역할과 활동 설명 • 활동1: 학생 도슨트 활동, 활동지 작성 마무리 • 활동2: 학생 도슨트 발표 활동, 출품 작	이음전 자료집, ᅟᅵ 갤러리 전시 작품,

학교 갤러리 도슨트 자료

		가와 전시 작품설명	학생 활동지
	생각 정리 5'	• 활동3: 학생 도슨트 활동 마무리 • 생각 정리, 학생 활동지, 자료집 수합 • 차시 예고	
평가 방법		• 교수평일체화 과정평가: 교사는 수업에 참여하는 학습자를 관찰하고, 발표 학생을 관찰하고 과정평가 기록	
수업자 수업 의도		- 미술 관련 직업, 갤러리 관련 직업에 대하여 알 수 있음 - 학교 갤러리에서 학생 도슨트 체험 활동으로 깊이 있는 학습으로 탐구력과 사고력신장과 전이 교육 실천	
생활 기록부 세부 특기 사항 기록 (예시)		• 미술 관련 직업과 갤러리 관련 직업, 큐레이터, 도슨트, 에듀 케이터에 대하여 이해하고 설명을 잘함(상) • 학교 갤러리에서 학생 도슨트 체험 활동으로 관람자에게 학교 갤러리 전시 작품설명을 적극적이고 능숙하게 잘함(상) • 학교 갤러리에서 학생 도슨트 체험 활동을 적극적으로 참여하고 관람자에게 전시 작품설명을 함. (중) • 학교 갤러리에서 학생 도슨트 체험 활동을 참여하고 관람자에게 전시 작품설명을 함. (중)	

[수업 자료]
학생 도슨트 체험 활동지

- 전시명: 이음전 17명 출품
  한국화(고찬규 신은섭 유덕철), 서양화(라선 이계원 최원숙), 조소(이찬우), 설치(이복행) 도예(강유경 이진숙), 서예 (박영동), 문인화(서주선), 캘리그라피 (박혁남), 민화 (박희진 이경미), 퍼포먼스 (홍오봉), 사진(남태영)
- 전시기간: 2024. 9. 3. ~ 9. 27
- 전시장소: J갤러리(제물포고 후관 1층)

안녕하십니까.

학생 도슨트　　학년　　반＿＿＿＿＿＿＿＿＿＿입니다.

＿＿＿＿＿＿작가의 작품에 대하여 설명하겠습니다. 작가의 전공은

＿＿＿＿＿이고 작가는 ＿＿＿＿＿년 생으로 고향은＿＿＿＿＿＿＿＿입니다.

　어린시절은 ＿＿＿＿＿＿＿＿＿＿＿＿＿＿＿＿＿＿＿＿＿＿＿＿

＿＿＿＿＿＿＿＿＿＿＿＿＿＿＿＿＿＿＿＿＿＿＿＿ 으로 보냈습니다.

　작가의작품세계는 ＿＿＿＿＿＿＿＿＿＿＿＿＿＿＿＿＿＿＿

＿＿＿＿＿＿＿＿＿＿＿＿＿＿＿＿＿＿＿＿＿＿＿＿＿＿＿＿＿＿

＿＿＿＿＿＿＿＿＿＿＿＿＿＿＿＿＿＿＿＿＿＿＿＿＿＿＿＿＿＿

＿＿＿＿＿＿＿＿＿＿＿＿＿＿＿＿＿＿＿＿＿＿＿＿＿＿＿＿＿＿

＿＿＿＿＿＿＿＿＿＿＿＿＿＿＿＿＿＿＿＿＿＿＿＿＿＿＿＿＿＿

＿＿＿＿＿＿＿＿＿＿＿＿＿＿＿＿＿＿＿＿＿＿＿＿＿＿＿＿＿＿

_____ 입니다.

작가의 경력은   대학교, 개인전   회, 단체전
    회

출품했으며 _____

_____

_____역임했고, 현재는 _____입니다.

_____작가의 J 갤러리 전시 작품에 관해서 설명하겠습니다.

이 작품의 **제목**은_____ 이고

재료는 _____이며, **작품 크기**는 _____

_____입니다.

작품의 **묘사**는_____

_____

_____

가 그려졌습니다.

작품의 **형과 색, 구도**는_____

_____입니다.

작품의 **의미와 의도**는_____

_____

_____

_____라고, 생각합니다.

이 작품에서 **느껴지는** 것은_____

_____

_____

_____

_____

입니다.

이상으로_____작가의 작품에 관해 설명했습니다.

학생 도슨트_____입니다.

학교 갤러리 도슨트 자료

학생 도슨트 체험 활동지

- 전시명: 이음전 17명 출품
  한국화(고찬규 신은섭 유덕철), 서양화(라선 이계원 최원숙), 조소(이찬우), 설치(이복행)
  도예(강유경 이진숙), 서예 (박영동), 문인화(서주선), 캘리그라피 (박혁남), 민화 (박희진
  이경미), 퍼포먼스 (홍오봉), 사진(남태영)
- 전시기간: 2024. 9. 3. ~ 9. 27
- 전시장소: J갤러리(제물포고 후관 1층)

안녕하십니까.

학생 도슨트 2학년 5 반 <u>손OOO</u> 입니다.

<u>이복행</u> 작가의 작품에 대하여 설명하겠습니다. 전공은 <u>미술조각</u>
이고 작가는 <u>1962</u> 년 생으로 고향은 <u>충북 청원</u> 입니다.

어린 시절은 <u>농촌에서 자라며 단편적이 빠져들어 그림에 대한</u>
<u>흥미를 가졌고, 그림을 그리며</u>   보냈습니다.

작가의 작품세계는 <u>어린 시절부터 그림에 대한 신뢰와 호기심을 키워며</u>
<u>미술의 세계로 향길이었습니다. 중학생 시절, 선생님을 그린 십에서 느끼거가</u>
<u>많은 것 없음이 느껴감을 그려 넣은 기념은 그가 정체와 표현의 분별에 대한</u>
<u>깊은 호기심을 가지고 있었을을 보여줍니다. 대학생때의 이복행의 그림의 내용과 형식을</u>
<u>조형적 관점으로 구현하는 동레너지를 쫓기 시작했으며, 대학 졸업 후 본격적인</u>
<u>작가의 세계에 들어섭니다. 그는 항상에서의 관계를 시작으로 표현하며, 세상과 개체</u>
<u>관계합니다. 그의 작업은 서로 연결된 관계들의 관계를 드러내려는 시도로 가득 차 있습니다.</u>

작가의 경력은 <u>미술학과 졸업 (충북</u> 대학교, 개인전 <u>8</u> 회, 단체전 <u>11</u> 회
출품했으며, <u>최근 작업인 [기념버전 도라]와 같은 작품을 통해, 세상의 사물들이</u>
<u>서로 물리적으로 개별화된 어떠함을 풀어가며, 그 사물에 깃든 삶과 정서를 시각화으로</u>
<u>재해석하려고 있습니다. 그는 현재 <u>다매체 시조에이머 쌍년가</u> 입니다.

<u>이뿍햄</u> 작가의 J 갤러리 전시 작품에 대해서 설명하겠습니다.

이 작품의 제목은 <u>기념비적 드마</u> 이고

재료는 <u>목재</u> 이며, 작품 크기는 39.5 X 67 X || cm 입니다.

작품의 묘사는 <u>연안복 어상강 저편에서 발견된 낡은 드마로,</u>

<u>어상에서 오랜 시간동안 역할을 다해온 흔적이 담긴 드마로</u>

_____ 가

작품의 형과 색, 구도는 <u>낡고 오래되어 엷고 칠한 색의 나무</u>

_____ 입니다.

작품의 의미와 의도는 <u>일상적인 사물인 드마를 통해 사람의 삶과 기억을 표현</u>

<u>하려는 의도를 담고 있다고 생각합니다. 낡은 드마는 시간의 크름을 상징함과 동시에,</u>

<u>우리가 흔히 지나치는 사물이 가치와 의미를 담을 수 있기시면</u> <u>다</u>고, 생각합니다.

이 작품에서 느껴지는 것은 <u>시간의 흐름과, 일상적 가치를 상기시키라 라는</u>

<u>작가의 상징적인 메시지</u>

_____

_____

_____ 입니다.

이상으로 <u>이뿍햄</u> 작가의 작품에 관해 설명했습니다.

학생 도슨트 <u>정</u> 입니다.

학교 갤러리 도슨트 자료
- 현대미술 작가 17명 -

저　자 | 유덕철

발　행 | 2024년 10월 21일
펴낸이 | 한건희
펴낸곳 | 주식회사 부크크
출판사 등록 | 2014.7.15.(제2014-16호)
주　소 | 서울특별시 금천구 가산디지털1로 119
　　　　　　　　　(SK 트윈타워 A동 305호)

전　화 | 1670-8316
미메일 | info@bookk.co.kr

ISBN | 979-11-419-1009-9

www.bookk.co.kr
ⓒ 유덕철 2024

참고 문헌

《이음》, J 갤러리, 2024

학교 갤러리 도슨트 자료